Sólo para mujeres mayores de 45

Sólo para mujeres mayores de 45

Todo lo que usted necesita saber acerca de los estrógenos y la menopausia

Ruth S. Jacobowitz

Traducción
Elvira Maldonado

Barcelona, Bogotá, Buenos Aires, Caracas, Guatemala,
Lima, México, Miami, Panamá, Quito, San José,
San Juan, Santiago de Chile, Santo Domingo

Edición original en inglés:
THE ESTROGEN ANSWER BOOK
150 Most-Asked Questions About Hormone Replacement Therapy
de Ruth S. Jacobowitz.
Una publicación de Little, Brown & Company

Apartado Aéreo 53550, Bogotá, Colombia.

Impreso por OP Editorial
Impreso en Colombia — Printed in Colombia

Edición, Patricia Torres
Diseño de cubierta, Marca Registrada

Este libro se compuso en caracteres Usherwood y Weiss.

ISBN 958-04-5204-0

02 01 00 99 8 7 6 5 4 3 2 1

Dedico este libro a mis hijas Jan, Jody y Julie,
y a todas las mujeres, con la esperanza de
que les ayudará a tomar decisiones
conscientes respecto de su salud
y del cuidado de la misma, de manera
que puedan vivir por más tiempo y mejor.

CONTENIDO

Tercera parte: Fitoestrógenos – Las plantas y otras alternativas

Cuarta parte: Tomar la decisión

PREFACIO

En la actualidad la expectativa de vida de una mujer saludable supera incluso los ochenta años, mientras que en 1890 en contadas ocasiones excedía los cincuenta. Una mujer de sesenta y cinco años, en excelentes condiciones de salud, puede aspirar a 16.8 años más de vida activa. Estas estadísticas indican que una mujer hoy puede llegar a vivir más de la mitad de su vida sin gozar del beneficio de sus propios estrógenos. Los años comprendidos entre su menarquia y su menopausia, es decir el tiempo en el que ella es la productora de sus propios estrógenos, no representan sino un breve período de todo su ciclo vital. Es, por tanto, de gran importancia que todas las mujeres conozcan las respuestas a las preguntas más importantes relacionadas con los estrógenos, ya que esto les permitirá tomar decisiones conscientes en lo que se refiere a su vida reproductiva. El libro de Ruth Jacobowitz enfrenta valerosamente asuntos de gran importancia para la mujer.

Aun cuando se sabe que los estrógenos son una parte

importante de los factores de riesgo de tres de los cánceres más frecuentes en la mujer, no se ha prestado la necesaria atención a la importancia que los estrógenos tienen para el resto del cuerpo. Por lo común, en la definición de los estrógenos se han identificado solamente la regulación y el mantenimiento del desarrollo sexual y de la función reproductora femeninos. Hoy ya se sabe que tienen una función mucho más amplia y juegan un papel importante en lo relacionado con la salud cardiovascular, la osteoporosis (pérdida de densidad ósea), la función urológica (incontinencia), los edemas cutáneos (hinchazones, en términos populares) y quizá las funciones cognitivas (demencia).

En Estados Unidos, las enfermedades cardiovasculares son la principal causa de muerte en mujeres entre los cincuenta y los sesenta y cinco años. Esto equivale a un cuarto de millón de muertes al año.

La osteoporosis es "una asesina silenciosa"; 1.5 millones de fracturas cada año pueden asociarse directamente con la osteoporosis postmenopáusica. Para una mujer mayor el riesgo de sufrir una fractura de cadera es igual al de sufrir cáncer de seno, de útero y de ovarios, todos a la vez.

Aproximadamente trece millones de estadounidenses que viven en un ambiente comunitario o institucional, 85% de los cuales son mujeres, sufren de incontinencia urinaria. Debido a su anatomía, el piso pélvico que sostiene la vejiga y la uretra es vulnerable a la falta de estrógenos. Los estrógenos son muy importantes para el bienestar general de la mujer.

Se espera que las investigaciones y los ensayos clínicos permitan en el futuro mejorar nuestra capacidad para tomar decisiones muy precisas. La terapia de suplencia hormonal será más segura cuando sea posible la estrogenoterapia dirigida, la terapia de receptor único y el manejo de factores de riesgo individuales, por ejemplo factores genéticos y de la coagulación. Los moduladores selectivos de los receptores estrogénicos (MSRE) son el inicio de una nueva era en la identificación de formas especiales de aislar los efectos positivos de los estrógenos y separarlos de los negativos. Pero todavía serán necesarias muchas investigaciones a largo plazo para asegurar que primen los beneficios sobre los riesgos.

El consumidor debe tomar parte activa en el proceso de toma de decisiones. Algunas de estas decisiones deben asumirse desde la adolescencia, época en la que se establecen los patrones de nutrición, ejercicio y estilo de vida. Estos años son críticos para la formación de una adecuada estructura ósea que proteja a la mujer mayor. La batalla contra las leyes de la inercia debe ganarse año tras año. Todos y cada uno de los adultos, ya sean hombres o mujeres, deben realizar como mínimo treinta minutos de ejercicio diario. En la fecha sólo un pequeño porcentaje de la población realiza una actividad adecuada. En Estados Unidos, la falta de ejercicio regular influye en cerca de 250.000 fallecimientos al año.

Las mujeres que están entrando en la menopausia o que ya empiezan a percibir algunos de sus efectos, deberían hacer todo lo posible por llegar a ser consumidoras informadas. Con este libro, Ruth Jacobowitz nos ofrece la posibilidad de acceder a una amplia gama de informaciones que han sido recopiladas de un gran surtido de fuentes autorizadas. Además, el formato pregunta-respuesta es adecuado para quienes necesitan alguna información puntual, mientras que una lectura en profundidad proporcionará una base sólida para tomar decisiones conscientes.

Jean L. Forucroy, M.D., Ph.D.
Ex presidenta, American Medical Women´s Association
Ex presidenta, National Council Women on Medicine
Uróloga

INTRODUCCIÓN

Las ideas relacionadas con el contenido de este libro empezaron a rondar mi mente mucho antes de pensar en escribirlo. Una pregunta muy difícil me había perseguido por mucho tiempo. De hecho, desde el momento en que me prescribieron estrógenos por primera vez, para tratar mis desconcertantes y en cierta forma debilitantes síntomas de la menopausia, empecé a preguntarme, "¿debo tomar estrógenos?".

Mi entrada en la menopausia me dio muy pocas opciones. Estando en mis cuarenta, no hace demasiado tiempo, la menopausia era todavía un tema tabú que se mantenía tras bambalinas y apenas si se mencionaba algo relacionado con la misma. De repente me vi sumergida en la peor experiencia de mi vida. Luego de padecer de fuertes hemorragias durante un año, la anemia y la vergüenza se convirtieron en mis compañeras constantes, y finalmente decidí someterme a una histerectomía. Ésta no fue sino otra de las 600.000 que se practican anualmente en los Estados Unidos, dos tercios de las cuales son posiblemente innecesarias. La mía sin duda alguna fue una de ellas, pero yo no lo sabía entonces. En realidad en el momento me pareció una buena idea. Por otra parte, mis ovarios quedaban intactos, y por tanto no tenía que preocuparme por una menopausia inducida quirúrgicamente. Al menos eso pensaba.

Unos pocos años después empecé a tener problemas. En medio de una reunión, de repente un sudor húmedo me recorría el cuerpo. En las noches sentía unos calores insoportables y sudaba copiosamente. ¿Se me ocurrió pensar en la menopausia? En absoluto. Sin embargo, le mencioné a mi ginecólogo las molestias que estaba experimentando y él me sugirió tomar vitamina E, lo que me ayudó muchísimo; así pasé unos cuantos años más, pero sin saber qué estaba pasando. Es cierto, soy una escritora médica que durante muchos años se desempeñó como vice presidenta de un importante hospital universitario en Cleveland, y por tanto parecerá extraño que no me hubiera dado cuenta de la transición tan importante que estaba atravesando en ese período de mi vida. Pues bien, no me di cuenta. Además, en esos años no se abordaban temas como la perimenopausia.

Mis nervios estaban alterados y mi genio sufría variaciones constantes. Atribuía al exceso de trabajo y a la permanente agitación de la administración del hospital todos esos síntomas que sentía y que estaban acabando conmigo. Pensar en una buena noche era prácticamente imposible y mi corazón parecía una locomotora. Ni siquiera me di cuenta de que las palpitaciones eran uno de los síntomas comunes de la menopausia.

Una noche me desperté con tanto calor que estaba totalmente empapada en sudor y mi corazón latía de manera tan enloquecida que temí un ataque cardíaco. Al día siguiente me sentí ansiosa, llorosa y triste, pero ni siquiera era capaz de llorar. Me asusté tanto que entré en pánico.

Este pánico, junto con la ansiedad, duró varias semanas durante las cuales experimenté un insomnio tan fuerte que realmente creo no haber dormido nada. La televisión no me ayudaba pues cuando intentaba mirarla, los colores parecían fundirse unos con otros y el esfuerzo que tenía que hacer para poder ver me ponía más nerviosa. La verdad era que no lograba concentrarme. Tomar cualquier decisión era un imposible, incluso irrumpía en llanto cuando iba conduciendo, o cuando estaba en el supermercado o haciendo compras. ¿Qué me pasaba?

Por último, cuando mi marido y mis hijas no pudieron soportar más la situación, me obligaron a consultar a un médico. ¿Acaso escogí a alguno de mis colegas y amigos? ¿O consulté con el ginecólogo amigo con quien había compartido la responsabilidad de conservar mi salud? De ninguna manera. Busqué a un joven doctor recién llegado a la ciudad, que no me conociera ni profesional ni socialmente, con la idea estúpida de conservar en secreto lo que yo creía que era una crisis nerviosa. Después de todo si crees que te estás volviendo loca, lo último que quieres es compartir lo que queda de ti con tus colegas y amigos. Ése fue mi mayor error. Este temerario y joven doctor me formuló Valium (como podrán recordar el Valium fue el Prozac de los 80), pero no tuvo ni la más mínima intención de revisar mis niveles hormonales.

De ahí salí disparada para donde mi ginecólogo. Después de escuchar el relato de mis síntomas, me ordenó un chequeo de los niveles de la hormona estimulante del folículo (más conocida por su sigla en inglés, FSH) y me prescribió estrógenos. Sólo una semana después de haber iniciado el tratamiento con estrógenos empecé a notar que los síntomas disminuían y hacia el final de la segunda semana habían desaparecido totalmente. ¿Era posible que todas las incomodidades y temores hubieran sido causados por los síntomas de la menopausia? Inicialmente tuve mis dudas, pero empecé a informarme al respecto y a aprender por qué había pasado por una antesala tan terrible para entrar a los que, en últimas, han sido los mejores años de mi vida. Es claro que la menopausia no se aparece de la noche a la mañana para apoderarse repentinamente de uno; se trata más bien de un proceso sutil que, a menos que sea provocado por la cirugía, toma varios años antes de presentarse como realmente es. Por tanto, es conveniente que todas las mujeres empiecen a prestar atención a sus síntomas para que sepan qué le está pasando a su cuerpo. Así no tendrán que enfrentar sorpresas desagradables.

Incluso en ese momento me inquietaba tener que tomar un medicamento de sustitución estrogénico para suprimir los síntomas más severos que se apoderaban de mí y lograr una transición normal. Es decir, aunque había solucionado mis problemas, seguía preguntándome, "¿en realidad sí debo tomar estrógenos?"

Inicialmente era una inquietud ocasional. Pero poco a poco fue siguiéndome a todas partes. Después de publicar mi primer libro sobre menopausia, otras personas comenzaron a preguntarme lo mismo, tanto profesional como socialmente. Así, en las reuniones con clientes potenciales, con personas que me solicitaban textos o conferencias, la pregunta invariablemente surgía de una forma u otra.

En las reuniones sociales las mujeres se me acercaban y decían: "He leído sus libros acerca de la menopausia, pero todavía no sé qué debo hacer". Después de un sucinto y confidencial relato de su experiencia menopáusica, invariablemente planteaban la pregunta, "¿cree que debo tomar estrógenos?".

Me hubiera encantado estar en posición de responder sencillamente sí o no, pero las respuestas a esta pregunta son muy variadas y con frecuencia complicadas. Las mujeres están muy ocupadas para comprender respuestas complejas. Además, tenemos la maravillosa costumbre de querer tomar una decisión satisfactoria y "¡echar hacia adelante!". Pero cuando se trata de estrógenos, esto definitivamente es imposible. Hay muchas otras preguntas que debemos plantearnos, una pregunta genera la siguiente. Hay tantas preguntas acerca de los antecedentes médicos familiares e individuales, como respuestas a los asuntos que se suscitan alrededor de la menopausia y la terapia de suplencia hormonal. Tenemos que documentarnos, tenemos mucho que aprender. La decisión de iniciar una terapia de suplencia hormonal puede ser la más desafiante, compleja y desconcertante que una mujer menopáusica saludable pueda tomar. Los beneficios de los estrógenos son incuestionables: reducen o eliminan los síntomas desagradables, desaceleran o detienen la descalcificación de los huesos; además hay evidencias muy fuertes de que protegen a la mujer de posibles enfermedades tanto cardíacas como algunas otras. Sin embargo, está la otra consideración: es posible que una terapia de reemplazo hormonal prolongada pueda aumentar el riesgo de cáncer de seno.

Si pensamos en las mujeres más jóvenes, aquéllas que apenas empiezan sus coqueteos con la perimenopausia y empiezan a plantearse las primeras inquietudes acerca de lo que deberían hacer cuando lleguen a la menopausia; seguimos luego con las que ya han llegado a ella y con aquéllas que ya la pasaron hace muchos años, tenemos un común denominador: en todas ellas hay una pregunta que prevalece, "¿debo tomar estrógenos?". La pregunta se hace ahora sin vergüenza, sin agresividad pero directamente. Revisando mis trabajos anteriores, verifiqué haber respondido muchas preguntas en 1993, en mi libro *150 Most-Asked Questions About Menopause* (Las 150 preguntas más frecuentes acerca de la menopausia), pero me doy cuenta de que hay muchas otras preguntas suscitadas por investigaciones recientes relacionadas con los estrógenos y con terapias no hormonales.

En 1994 escribí *150 Most-Asked Questions About Osteo-*

porosis (Las 150 preguntas más frecuentes acerca de la osteoporosis), que se enfocó hacia la prevención de esta enfermedad de los huesos, deteriorante, limitante y mortal, y se discutieron los estrógenos; pero aún quedaron pendientes algunas preguntas sobre los estrógenos para las cuales no teníamos respuestas todavía. Ahora, la disponibilidad de nuevos productos nos ofrece algunas otras soluciones. Por otra parte, en las conferencias que he dictado, relacionadas con la menopausia y la osteoporosis, me di cuenta de que había necesidad de mayor información sobre cómo la menopausia afecta nuestra sexualidad y qué lugar ocupan nuestros compañeros dentro de este torbellino; esto dio origen a *150 Most-Asked Questions About Midlife Sex, Love and Intimacy* (Las 150 preguntas más frecuentes acerca de la vida madura, el sexo, el amor y la intimidad). Este libro fue publicado en 1995. Esta trilogía hizo que fuera invitada a dictar conferencias y seminarios no sólo en el país sino en distintas partes del mundo. Las mujeres que conocí y con las que pude establecer intercambio seguían planteando más y más preguntas acerca de los estrógenos. En todos los lugares, sin excepción, la pregunta clave continuaba siendo, "¿debo tomar estrógenos?".

Entonces empecé de nuevo a circular cuestionarios, a realizar entrevistas a mujeres de distintas franjas de edad y estilos de vida, a hablar con muchos de sus compañeros y a consultar siempre con los expertos a fin de obtener orientación apropiada.

Este libro tiene por objeto poner al alcance de la mujer toda la información disponible acerca de los estrógenos. La mujer puede tomar sus propias decisiones sobre los estrógenos, siempre y cuando disponga de la información adecuada. Este libro está diseñado para permitirle comprender si los estrógenos ofrecen respuestas a sus necesidades personales, en su situación concreta. Ante todo, mientras digiere la información no olvide que la menopausia es un proceso a la vez universal y único. Al afirmar esto quiero decir que la menopausia es un período de transición que experimentan todas las mujeres, pero la manera como las afecta puede ser algo diferente de cómo afecta a las otras mujeres de la familia, a las vecinas, colegas y amigas. No todas experimentamos los mismos síntomas y en caso de sufrir las mismas molestias es posible que nos afecten en forma diferente. Experimentar una oleada de calor para algunas puede ser apenas una molestia, mientras que para otras puede acarrear otra serie de síntomas que interfieren con la normalidad de su vida.

Una mujer cuyo compañero prefiere mantener fresca la habitación, puede incluso acoger los calores nocturnos con alivio; pero para otras, éstos pueden ser simplemente el inicio de una especie de batalla generada por los termostatos personales. Ella sufre de calor, él se está helando. Así, es posible que las mantas, las colchas y el temperamento salgan volando por el cuarto. Me refiero específicamente a los calores puesto que éstos son uno los síntomas más extendidos de la menopausia, y afectan entre el 75 y el 85 % de las mujeres. Los calores no son divertidos. Se apoderan de uno como una especie de aura y se concentran en el rostro, haciéndolo enrojecer totalmente y sudar. Aunque hay camisetas y calcomanías para los carros con la siguiente afirmación: "No, no es un simple calor, ¡es una oleada de poder!", yo no comparto esta opinión; la verdad, prefiero la camiseta negra que me regalaron en una ocasión, y que dice en grandes letras blancas: "Se me acabó el estrógeno y ¡llevo una pistola conmigo!". De verdad me resulta imposible considerar los calores como oleadas de poder; para mí son más bien interrupciones temporales de poder, algo parecido a lo que sucede cuando falla el sistema de aire acondicionado durante una ola de calor. ¡Lo que queremos es que lo arreglen pronto!

Intentemos imaginar el siguiente cuadro: Una ejecutiva está presentando una propuesta compleja a un grupo de colegas, todos hombres, muy serios y formalmente vestidos. Posiblemente una secretaria joven y atractiva toma notas de la reunión, que tiene lugar en la sala de juntas de una corporación importante. La presentación de la propuesta es impecable, una vez concluye ésta se inicia la sesión de preguntas. Nuestra ejecutiva mantiene la compostura y responde pregunta tras pregunta. Sabe que lo está haciendo bien y que ha captado la audiencia. De repente, comienza una oleada de calor. Es posible que el estrés planteado por las exigencias de la presentación lo haya provocado. El calor empieza en el torso y sube lenta e inexorablemente hacia la cara. Bajo la chaqueta de su traje, la blusa de seda empieza a adherirse a su piel. El sofoco sigue su curso ascendente y cuando se apodera totalmente de su rostro, toma su carpeta de notas y empieza a abanicarse. Los asistentes a la reunión empiezan a preguntarse, "¿por qué estará tan nerviosa? ¿Qué sabe ella que nosotros ignoramos? ¿Podemos realmente confiar en ella?"

¿Estoy exagerando? En absoluto. Las mujeres se ven abocadas a situaciones similares casi a diario. Hagamos un cambio. Ya no estamos en la sala de juntas sino en el aula, o en cualquier otro lugar en donde se reúne un grupo de personas. El cuadro sigue igual. ¿Embarazoso? Obviamente, y ninguna de nosotras ha dado todavía el gran paso para atreverse a decir: "Disculpen, es simplemente otro calor, se pasará en un momento". De manera que muchas mujeres sufren en silencio.

Es innegable que los estrógenos suelen combatir los calores y muchísimos otros síntomas de la menopausia, pero la pregunta sigue siendo la misma: "¿debo tomar estrógenos?"

Este libro tiene por objeto ayudarle a tomar esa decisión y responder a esa pregunta. Contiene toda la información actualmente disponible acerca de los estrógenos, tanto en su forma química como vegetal. No pretende hacer un diagnóstico de su situación, ni contiene prescripciones que usted pueda seguir. Ningún libro debería hacerlo. Este libro ha sido diseñado para que usted pueda encontrar respuestas claras y amplias a la pregunta de su interés y está organizado para permitirle encontrar respuestas a otras preguntas acerca de los estrógenos de manera fácil y rápida. Contiene información pertinente, a veces en forma reiterativa, lo que le permite encontrar la información que busca sin tener que leer el libro de principio a fin.

Léalo, infórmese sobre lo que necesita saber acerca de los estrógenos, y así podrá saber si debe o no tomarlos. Comparta sus ideas con su médico. Luego haga lo que le convenga.

Comprender la anatomía de la menopausia es el primer paso importante para poder tomar una determinación. Mucho antes de nuestro nacimiento empieza a producirse la actividad hormonal que va a darnos forma, a prepararnos para la pubertad e incluso a posibilitarnos la reproducción. Las hormonas primarias del sexo femenino son los estrógenos y la progesterona. Incluso tenemos un poquito de testosterona, la hormona conocida principalmente como la hormona masculina. Ésta es una de las hormonas andrógenas.

En el momento de nuestro nacimiento nuestros ovarios ya contienen la totalidad de los óvulos que tendremos en nuestra vida, se dice que son aproximadamente 500.000. Éstos permanecen intactos los primeros años, es decir cuando nuestro cuerpo aún no tiene ninguna capacidad reproductiva. En la pubertad, que puede presentarse incluso desde los nueve años y hasta los trece, a veces un poco después, nuestro cuerpo empieza a producir estrógenos. Los estrógenos son producidos por los ovarios, aunque una pequeña cantidad se origina también en las glándulas suprarrenales. Al iniciarse este proceso, la mujer entra en la edad reproductiva, dando paso al ciclo mensual de estrógenos, progesterona y el correspondiente período menstrual.

Este ciclo continúa repitiéndose a menos que se vea interrumpido por un embarazo (o una amenorrea producida por alguna enfermedad, por alguna medicación o por el ejercicio excesivo, como es el caso de las atletas) hasta la menopausia, que suele presentarse alrededor de los cincuenta y un años y cuatro meses. Entonces entramos en nuestros años no reproductivos.

También es posible que la menopausia no sea otra cosa que el polo opuesto de la pubertad. Es importante saber lo que pasa en nuestro cuerpo entre el primero y el último ciclo menstrual. Durante todo ese tiempo, cerca de treinta y cinco años, dependiendo de cuándo tenemos nuestro primer período y cuando tenemos el último (que es de hecho lo que representa la menopausia), se ha estado produciendo una sinfonía compleja entre nuestro cerebro y nuestros ovarios. Se inicia cuando el hipotálamo, ubicado en la base del cerebro, le envía instrucciones a la glándula pituitaria, también en la base del cerebro, para que produzca dos hormonas: la hormona folículostimulante (FSH) y la hormona luteinizante (LH), que afectan directamente el crecimiento y el desarrollo del folículo ovárico, bolsa minúscula que contiene cada óvulo. La FSH estimula el folículo produciendo su ruptura, y cuando esto sucede la LH estimula la maduración del óvulo y su posterior expulsión fuera del folículo.

Estas dos poderosas glándulas, el hipotálamo y la pituitaria, son las encargadas del control del sistema reproductivo. Estimulan el ovario para que produzca las hormonas femeninas, es decir estrógenos y progesterona (también un poquito de testosterona), con lo cual se prepara el recubrimiento del útero para acoger el huevo fecundado, en caso de que se produzca un embarazo. Si durante el mes no se produce un embarazo, el cuerpo expulsa el recubrimiento y esto es lo que conocemos como período menstrual. El ciclo, entonces, vuelve a comenzar.

Normalmente este ciclo se repite durante nuestros años reproductivos, y puede verse interrumpido por un embarazo o por alguna de las razones antes mencionadas. Hay algunas mujeres que hacia finales de los treinta o inicio de los cuarenta años empiezan a experimentar cambios en su ciclo. En este caso los períodos pueden volverse erráticos, acortarse o alargarse, pueden hacerse más copiosos o más escasos. Estos cambios caprichosos pueden indicar la entrada en la perimenopausia, es decir, la mujer ha llegado a los años en los que debe irse preparando para la menopausia, y también es posible que se presenten otras modificaciones. Esta época se conoce como el "climaterio", palabra derivada del griego que quiere decir "momento crítico".

Llámese como se llame, este período de transformaciones y cambios se presenta cuando los óvulos se están acabando. Hay ocasiones en las que, no importa qué tan intensamente trabajen la FSH y la LH, ya no logran estimular el ovario para que produzca el óvulo, o los estrógenos y la progesterona que le siguen, lo que significa la entrada en la menopausia. El duro trabajo que realiza la FSH puede, con frecuencia, determinarse practicando los análisis de sangre a los que probablemente tenga que someterse para determinar si en realidad está entrando en la menopausia. Por ejemplo, un análisis de sangre que muestra unos niveles de FSH superiores a 40 mIU/ml (40 milli unidades internacionales por mililitro) le están diciendo: "Hola, la menopausia ha llegado". Atención, ésta es la forma usual de entrada en la menopausia, pero hay algunas mujeres que pueden quedarse sin óvulos mucho antes que el promedio y por tanto deben enfrentar una menopausia prematura generalmente antes de los 40 años. La menopausia quirúrgica es la provocada por la extracción del útero y de los dos ovarios (histerectomía con ooforectomía bilateral).

Entonces aquí estamos en la menopausia, iniciando una nueva etapa, quizá otros maravillosos treinta y cinco años de vida productiva —aunque no reproductiva—. Por tanto debemos decidir si vamos o no a reemplazar esas hormonas que nos faltan: la progesterona, tal vez un poco de testosterona, y los estrógenos. Ése es precisamente el tema de este libro.

PRIMERA PARTE

LOS HECHOS

1

¿QUÉ SON LOS ESTRÓGENOS?

Actualmente muchas de las mujeres que están entrando en la menopausia todavía tienen preguntas sobre ésta y muchas más sobre los estrógenos. Quieren saber exactamente qué son los estrógenos y por qué tienen un efecto tan profundo en su cuerpo. Obviamente, la mayoría saben que se trata de una de las hormonas femeninas y que afectan casi todo su organismo desde su nacimiento hasta su muerte. Pero, ¿por qué son tan importantes para que deban ser reemplazados después de la menopausia? Para responder a esta pregunta, revisemos cómo comienza nuestra experiencia con los estrógenos.

Los estrógenos son unas hormonas que empiezan a trabajar en el cuerpo en los años que preceden a la pubertad. Es decir, cuando el cerebro empieza a enviar mensajes a través del hipotálamo, que es un pequeño conglomerado de células cerebrales especializadas, tanto a la glándula pituitaria, que se aloja en la base del cráneo, como a los ovarios, informándoles que es hora de empezar a prepararse para la maravillosa sinfonía que está a punto de iniciarse. Los ovarios se preparan. Los óvulos que alojan empiezan a madurar y con la llegada de la menstruación usted sabe que un óvulo ya está completamente maduro para desprenderse en el proceso denominado ovulación. El óvulo inicia su recorrido por las trompas de Falopio hasta el útero y, si no se encuentra con un espermatozoide en el camino, es expulsado produciendo lo que se conoce como el "período", "la regla", o cualquier otro nombre con el que se denomine localmente la menstruación.

Esta sinfonía suele tener un ritmo perfecto en la mayoría de las mujeres, ritmo interrumpido ocasionalmente por un embarazo, experiencia profunda durante la cual los estrógenos juegan también un papel importante. Las mujeres empiezan a mostrar una cierta disonancia sinfónica cuando llegan a los cuarenta años, algunas cuando apenas están en la década de los treinta e incluso antes. Esto último es muy poco frecuente. Aunque es posible que hasta ese momento hayan ignorado el valor del trabajo que estaban realizando sus hormonas, algunas mujeres perciben los cambios. Algunos son muy sutiles, otros muy profundos. Un calor intenso o una profusa sudoración nocturna puede irrumpir en su, hasta entonces, organizada vida, fastidiando su sueño, ocasionándole molestias en el trabajo o desacomodando un encuentro amoroso. Esos períodos tan definidos que le permitían hasta programar sus vacaciones, empiezan a acercarse más entre sí o a distanciarse unos de otros. Es posible que el sangrado también se modifique y se haga menos intenso o mucho más copioso. Son épocas incómodas y angustiantes. Con frecuencia el cambio en la producción de estrógeno y progesterona (la otra hormona femenina importante) y los síntomas fastidiosos empiezan a sentirse en los años inmediatamente anteriores a la menopausia, es decir, los que preceden a su último período menstrual.

Los puntos básicos de referencia son el año anterior a su primera menstruación, cuando todos los sistemas estaban poniéndose en marcha, y la menopausia, es decir, su último período. Se ha escrito mucho últimamente para explicar en qué consiste la menopausia, sus signos y sus síntomas. Sin embargo, todavía no se tiene suficiente información acerca de qué debemos hacer cuando la estamos experimentando y queremos —tal vez necesitamos— contar con la misma protección hormonal de antes.

Por lo general, la menopausia se inicia a los 51.4 años. Dicho esto, quiero aclarar que es posible esperarla entre los cuarenta y cinco y los cincuenta y cinco, período que suele conocerse como el *climaterio*. El problema con todas estas líneas divisorias es que no son iguales para todas las mujeres. Por ejemplo, ocho de cada cien mujeres experimentarán la menopausia antes de los cuarenta y cinco años, algunas entre los treinta y los cuarenta, e incluso hay algunas que la viven antes de los treinta. Aunque muy poco frecuente, he entrevistado mujeres que aún esperan la menopausia y están cerca de cumplir sesenta años.

Sabemos que la menopausia es la culminación de un proceso gradual que se inicia unos tres a cinco años antes del último período menstrual. Esto sucede cuando los ovarios dejan de funcionar, se acaban los óvulos y cuando se ha disminuido la producción de estrógenos y de progesterona, si no es que se ha terminado completamente. Sabemos que es posible inducir una menopausia quirúrgicamente cuando se practica la histerectomía con ooforectomía bilateral. Sabemos que los síntomas de la menopausia varían desde los muy conocidos calores y sus compañeros, los sudores nocturnos, que pueden afectar entre el 75 y 85% de las mujeres, hasta síntomas más extraños, como dolores en los talones, resequedad en la boca y hormigueos en el cuerpo. Esta última palabra describe exactamente esa sensación extraña que hace sentir como si millones de animalitos estuviesen invadiendo la piel.

Hay algo que no sabemos claramente y que nos cuesta mucho determinar en forma individual, ¿debo tomar estrógenos? Para que sus deliberaciones tengan sentido es muy importante que sepa todo lo que se puede saber acerca de los estrógenos. Entonces, manos a la obra.

1 ¿Qué son los estrógenos?

Todo el mundo habla de lo que los estrógenos hacen, pero pocos se dan cuenta de lo que los estrógenos son en realidad. Los estrógenos contienen tres hormonas diferentes relacionadas con la actividad sexual de la mujer. Las hormonas son conocidas también como mensajeros químicos. Son sustancias químicas producidas por las glándulas o tejidos endocrinos y afectan otros órganos. Influyen en el crecimiento, el metabolismo y el desarrollo sexual, el comportamiento y otros procesos humanos esenciales. Los tres tipos de estrógenos son el *estradiol*, el *estriol* y la *estrona*. El más potente y constante de los tres es el estradiol, que es producido por los ovarios durante cada ciclo menstrual. El estriol es producido en grandes cantidades solamente durante el embarazo y la estrona es la forma de estrógeno que se puede encontrar en las mujeres postmenopáusicas, pero en cantidades mucho menores que las del estradiol que circula en el cuerpo de la mujer durante los años reproductivos.

2 ¿Qué papel juegan los estrógenos durante los años reproductivos?

Los estrógenos, en la forma de estradiol, se producen inmediatamente después de que el óvulo es liberado durante el ciclo menstrual. Su trabajo consiste en engrosar el recubrimiento del útero, llamado endometrio, para prepararlo para un embarazo. También se comunican con el cerebro y le informan cuándo debe interrumpir el envío de la hormona folículostimulante (FSH) e iniciar el envío de la hormona luteinizante (LH). Estas hormonas desempeñan funciones fundamentales en el ciclo. La principal función de los estrógenos es ejercer el control de los órganos reproductivos —los ovarios, el útero, los senos y los genitales. Pero los estrógenos son también necesarios para otros órganos del cuerpo como el cerebro, los vasos sanguíneos, los huesos, el corazón, el hígado, la grasa, los músculos y la piel. Los científicos han logrado determinar que hay pequeñísimos orificios que permiten que los estrógenos entren en las células para ejercer su influencia en todos estos órganos e incluso en algunos otros. Hay al menos trescientos procesos en el cuerpo que se ven afectados por la producción de estrógenos y que tienen poco o nada que ver con el proceso reproductivo. Estos se harán evidentes en cuanto profundicemos más en las diversas funciones de los estrógenos.

3 ¿Qué papel juegan los estrógenos durante el embarazo?

Los ovarios y la placenta secretan una cantidad considerable de estriol durante el embarazo. Algunos estudios científicos han revelado que puede haber niveles anormalmente altos de estriol que contribuyen con algunas de las complicaciones del embarazo, tales como las náuseas matinales. Otros estudios han demostrado que el estriol puede ayudar a proteger a la mujer del cáncer de seno. (En el capítulo 4 se abordará el tema estrógeno-cáncer de seno.)

4 Si los estrógenos, en forma de estrona, son la principal hormona que circula en el cuerpo durante los años inmediatamente posteriores a la menopausia, ¿por qué no basta para proteger el corazón, los huesos, el cerebro y el resto del cuerpo?

La estrona es una forma de estrógenos mucho más débil y está presente en el cuerpo en niveles mucho más bajos que el estradiol que circula en el organismo durante los años reproductivos. No brinda la misma protección que el estradiol, pero es el ingrediente de algunas de las tabletas de estrógeno oral. La estrona se produce en las células grasas del cuerpo, por tanto es muy posible que las mujeres obesas produzcan más estrona y tengan menos problemas con los calores y otros síntomas de la menopausia. La estrona se sintetiza a partir de la androstenodiona, hormona precursora de la testosterona que producen las glándulas suprarrenales, esas pequeñas glándulas situadas en el polo superior de los riñones. Las glándulas suprarrenales secretan las hormonas andrógenas y pequeñas cantidades de estrógenos y progesterona. Los andrógenos son las hormonas encargadas de producir las características masculinas y son las principales responsables de la libido tanto en las mujeres como en los hombres. De hecho, las mujeres también tienen testosterona pero en cantidades mucho menores que los hombres.

5 ¿Qué son las hormonas en general?

Las hormonas son mensajeros químicos secretados por diferentes glándulas del cuerpo. Están específicamente programadas para realizar algunas labores. Por ejemplo, una vez que una hormona es enviada hacia la corriente sanguínea, es posible que vaya directamente a una glándula "blanco" y le ordene a ésta producir su propia hormona. También es posible que la hormona original haya sido programada para poner en funcionamiento determinadas reacciones químicas en diferentes partes del cuerpo. El cuerpo produce docenas de hormonas diferentes, encargadas de regular funciones relacionadas con la mayoría de sistemas del organismo. Por ejemplo, algunas hormonas ayudan a manejar el estrés pues regulan el flujo sanguíneo de determinados órganos y también son útiles para controlar la tensión de los músculos. Estas hormonas son muy importantes para nuestros instintos de "luchar o huir", cuando nos vemos enfrentados a una situación especialmente estresante.

6 ¿Qué es la progesterona?

La progesterona es también una hormona sexual femenina y es producida por el cuerpo lúteo del ovario. Su función es ayudar a la maduración de los tejidos y controlar su crecimiento. Por ejemplo, sabemos que una de las tareas de los estrógenos es preparar el tejido de revestimiento interno del útero para la recepción y desarrollo del huevo fecundado. Por otra parte, una de las funciones rutinarias de la progesterona es prevenir que este tejido interno del útero (denominado endometrio) se engrose demasiado para evitar así unos períodos menstruales demasiado fuertes y largos. En caso de un embarazo, la progesterona pone en funcionamiento secreciones cargadas de nutrientes que son de gran importancia para el huevo fertilizado, en su desplazamiento a través de la trompa de Falopio hasta llegar a adherirse a las paredes del útero. La progesterona ejerce también un efecto profundo sobre algunas células; por ejemplo, es importante en la puesta en funcionamiento del sistema de producción de leche materna, lo que permitirá luego a la madre amamantar a su bebé. Cuando los ovarios se quedan sin óvulos, dando así origen a la menopausia, la producción de progesterona, así como la de estrógenos, disminuye considerablemente y a menudo cesa totalmente.

7 ¿Cómo trabajan los estrógenos y la progesterona?

Los estrógenos y la progesterona tienen efectos significativos en muchas de las funciones físicas y químicas del cuerpo, pero así como pueden ejercer funciones complementarias también pueden ejercer funciones opuestas. Un buen ejemplo de los efectos opuestos de estas hormonas puede verse en el sistema nervioso, donde los estrógenos pueden considerarse "potenciadores", debido a su efecto tonificante, mientras que la progesterona puede ser "depresora", provocando una sensación de profundo cansancio y depresiones leves. Estos efectos contrarios se producen por diversas razones. Los estrógenos estimulan el sistema nervioso y la progesterona actúa como sedante del mismo. Los estrógenos tienden a bajar los niveles de azúcar y la progesterona los eleva. Es de vital importancia lograr un balance saludable entre estas dos hormonas femeninas. En capítulos posteriores veremos más información sobre ellas, cuando se aborde el tema del reemplazo hormonal después de la menopausia.

8 Una vez liberados, ¿cómo se desplazan los estrógenos hacia el interior de las distintas células del cuerpo?

El cuerpo tiene unos "receptores de estrógenos" que les permiten a éstos penetrar en las células. La mejor manera de visualizarlo es imaginarse al receptor como una cerradura en una célula, y a los estrógenos como las llaves de las cerraduras. Al circular en el cuerpo, los estrógenos tienen la posibilidad de abrir estas cerraduras o receptores de estrógenos y entrar en la célula en su calidad de mensajero que va a lograr que dicha célula realice la función o funciones para las cuales ha sido programada. Los hallazgos de investigaciones recientes revelan que hay dos tipos de receptores en las células: los receptores alfa, que les permiten a los estrógenos entrar en la célula y cumplir su misión en ella, y los receptores beta, que encierran a los estrógenos en dicha célula. A partir de esta investigación se llegarán a obtener métodos nuevos y perfeccionados para la administración de la terapia de sustitución estrogénica.

9 ¿Qué son los "estrógenos de diseño"?

En la actualidad tenemos la esperanza de llegar a utilizar los estrógenos de manera selectiva, ya que éstos pueden diseñarse para que penetren en células determinadas y se les impida entrar a otras. Esto dio origen a que el término "estrógenos de diseño" hiciera su entrada en los medios. Esta nueva clase de estrógenos farmacéuticos se denominan técnicamente Moduladores Selectivos de Receptores de Estrógenos (MSRE). Por ejemplo un MSRE aprobado recientemente por la Food and Drug Administration (FDA) de Estados Unidos es un compuesto sintético de estrógeno denominado raloxifeno. Hay estudios que demuestran que el raloxifeno puede entrar en las células de los huesos, con lo cual ayuda a prevenir la osteoporosis, pero no tiene entrada en las células del seno ni en las del útero. Hay otro producto denominado droloxifeno que está en estudio actualmente, y que puede tener las mismas propiedades. Actualmente se investigan seis productos similares, incluso más, en varios laboratorios. Se cree que estos nuevos productos protegerán a la mujer contra el cáncer de seno y de útero mientras previenen la osteoporosis, las enfermedades cardíacas y quizá también otras enfermedades.

El raloxifeno previene la osteoporosis y tiene efectos positivos sobre los lípidos sanguíneos, pero no es tan efectivo en estos aspectos como otros productos estrogénicos que ya están en el mercado. Sin embargo, con el raloxifeno se abren las puertas para un nuevo tipo de terapia de sustitución estrogénica para las mujeres que han padecido o que temen un cáncer de seno. Por otra parte, el raloxifeno no controla ni disminuye otros síntomas de la menopausia como son los conocidos calores y su compañero inseparable, el sudor nocturno, y tampoco corrige la sequedad vaginal.

Evidentemente es demasiado pronto para saber qué lugar ocuparán los MSRE dentro de la variada gama de opciones para las mujeres postmenopáusicas, pero lo que sí es cierto es que les abrirán nuevas e importantes dimensiones. Sin embargo, todos sabemos muy bien que las medicinas maravillosas deben someterse al juicio del tiempo.

10 ¿Cómo afectan los estrógenos al organismo?

Los estrógenos ingresan a las células de los diferentes tejidos del cuerpo y producen cambios fisiológicos al estimular determinadas reacciones químicas. Como ya se explicó, los estrógenos producen efectos sobre cientos de procesos en el organismo. Algunos de sus efectos más importantes son los siguientes: uno sobre el corazón, ya que protegen a las mujeres de posibles ataques cardíacos y cerebrales puesto que contribuyen a elevar las lipoproteínas de alta densidad o HDL (el colesterol bueno) y a disminuir las lipoproteínas de baja densidad LDL (el colesterol malo) y además conservan cierta flexibilidad y maleabilidad de las paredes de los vasos sanguíneos. Los estrógenos previenen la osteoporosis pues ayudan a mantener el contenido mineral de los huesos, lo que es indispensable para tener huesos fuertes y saludables. Los estrógenos alimentan la piel y producen varios efectos positivos sobre el corazón, la vejiga y miles de órganos adicionales. También influyen positivamente sobre el cerebro, afectando la mente, el estado de ánimo y la memoria.

2

¿DEBO TOMAR ESTRÓGENOS?

¿Debo someterme a una terapia de sustitución estrogénica (TSE)? ¿Debo someterme a una terapia de suplencia hormonal? Éstas son dos preguntas claves para la mayoría de las mujeres que están experimentando las primeras etapas de la transición hacia la menopausia. Las preguntas y las deliberaciones pueden ser interminables. Cuando de este problema se trata, las mujeres se dividen en tres grupos. Están las que no conciben su vida sin su terapia de suplencia hormonal, las que ni siquiera se molestan en considerar esta posibilidad y —el grupo más grande— aquéllas que siguen teniendo dudas al respecto, que no saben qué hacer. Infortunadamente, demasiadas mujeres permanecen en una desinformación total, ignoran las distintas posibilidades que se les ofrecen y además ignoran que cualquier decisión que tomen no tiene que ser para siempre.

Pero, antes de seguir adelante, definamos los dos tipos de terapia. En este libro se hará referencia a la terapia de sustitución estrogénica (TSE) y a la terapia de suplencia hormonal (TSH). Cuando hablamos de TSE nos estamos refiriendo a la utilización de estrógenos solamente. Cuando hablamos de TSH nos estamos refiriendo a la utilización de estrógenos y progestina, o estrógenos y progesterona, que se suele prescribir a mujeres cuyo útero está intacto para protegerlas de un cáncer de endometrio.

Toda esta gama de posibilidades y decisiones es relativamente reciente. A finales del siglo pasado, la vida de las mujeres solía terminar casi al tiempo con la menopausia e incluso un poco antes. Es decir, alrededor de los cincuenta y un años. Las mujeres cuya vida se prolongaba después de la menopausia con frecuencia se consideraban viejas a sí mismas y, por tanto, merecedoras de las "desdichas" de la edad.

Hubo algunos intentos de inyectar a la mujer con distintos tipos de preparados de estrógenos animales para contrarrestar los síntomas de la menopausia, pero su utilización no se extendió ampliamente ni tuvo un reconocimiento científico. En 1939, Ayerst, McKenna and Harrison, una compañía farmacéutica canadiense, en colaboración con J.B. Collip, Ph.D., un pionero en la investigación endocrinológica de McGill University en Montreal, hizo un hallazgo importante en el proceso de extraer estrógenos de la orina de yeguas cargadas. En 1942 se aprobó el uso del Premarin, como se llamó este producto en los Estados Unidos.

En 1966 se publicó el libro *Feminine Forever* (Femenina por siempre), escrito por el ginecólogo Robert A. Wilson, de

Brooklyn, Nueva York. Este libro, que prometía la eterna juventud a las mujeres que utilizaran estrógenos, ejerció una influencia tan profunda tanto en los Estados Unidos, como Europa y otras partes del mundo, que los médicos comenzaron a prescribir estrógenos. Aunque hay quienes acusan al Dr. Wilson de ilustrado vendedor para las compañías farmacéuticas, yo me pregunto seriamente si en realidad él merece esa dudosa reputación. Más bien, lo considero un pionero que abrió el tema de la menopausia y de los cambios que se producen en el organismo de la mujer cuando llega a la edad madura, ofreciéndole información sobre la disponibilidad del estrógeno y la posibilidad de obtener ayuda de los médicos. Con esto indudablemente abrió las puertas a la medicalización de la menopausia, pero también movilizó a la comunidad investigadora, que durante demasiados años había permanecido sorda a los problemas de la mujer.

Las ventas de estrógenos para tratar los síntomas de la menopausia tales como los calores, los cambios de estado de ánimo y la sequedad vaginal aumentaron rápidamente hasta que, de pronto, dos artículos publicados en el *New England Journal of Medicine,* en diciembre de 1976, interrumpieron casi de un tajo dichas ventas. Estos artículos hablaban de una muy estrecha relación entre la terapia de sustitución estrogénica y el cáncer de endometrio (cáncer de la pared interna del útero). A las mujeres se les suspendió los estrógenos de forma inmediata; entre ellas se encontraba mi madre. Recuerdo todavía la angustia que le produjo esta situación y su búsqueda de algo diferente que la hiciera sentirse tan bien como lo habían hecho los estrógenos. No hubo nada. Se había terminado la fuente de la juventud. Pero no por mucho tiempo.

A principios de la década de 1980 los médicos empezaron a prescribir estrógenos con progestágeno (progesterona sintética) para producir un ciclo ficticio similar al del cuerpo de la mujer cuando el sistema de producción de sus ovarios todavía funciona. Se pensaba entonces, también hoy, que una mujer cuyo útero estaba intacto podría beneficiarse de los estrógenos gozando de la protección contra el cáncer de endometrio que le brindaba el progestágeno. Aunque hay todavía cierta concepción científica que sostiene que los estrógenos con el progestágeno proporcionan una protección más segura, hay muchas mujeres y algunos médicos que mantienen sus reservas frente al uso de estrógenos. Por ejemplo, actualmente cerca del 20 % de las mujeres postmenopáusicas en los Estados Unidos usan estrógenos, aunque el número parece estar creciendo lentamente.

Es interesante anotar que con el transcurso de los años me he cruzado con mujeres que lograron seguir tomando estrógenos incluso durante el pánico de los años 70. Una mujer, hoy bien entrada en sus ochenta años, cuya apariencia desmiente su edad, no sufre de ninguno de los problemas que las mujeres asocian con el envejecimiento e insiste en que si su propio médico no le hubiera respetado su exigencia de mantenerse en la terapia con estrógenos, se las habría ingeniado para encontrar alguno que le hubiera dado gusto a su petición.

Las mujeres hoy quieren y necesitan tomar decisiones inteligentes. Son educadas, y están interesadas y acostumbradas a preguntar y a recibir respuestas. Leen libros y artículos de revistas y participan en seminarios en número cada vez más creciente. Las mujeres quieren información sobre los cambios producidos durante la perimenopausia y la menopausia, y cómo pueden afectarlas dichos cambios tanto fisiológica como psicológicamente. Quieren saber cómo hacerles frente para ayudarse no sólo a vivir más tiempo sino mejor.

Se están realizando numerosos estudios en el mundo entero encaminados a responder a estas miles de preguntas. Entre las instituciones encargadas de realizar estas investigaciones, la más importante es Women's Health Initiative (WHI) (Iniciativas en pro de la salud de la mujer), fundada por la oficina de National Institutes of Health Office on Women's Health Research (Oficina de Investigaciones para la Salud de la Mujer de los Institutos Nacionales de Salud de Estados Unidos). Se espera que hacia el 2005, año en el que termina la investigación, la WHI tenga todas las respuestas. El proyecto es a la vez estimulante e intimidador. La mayoría de las mujeres queremos las respuestas hoy. El 2005 será demasiado tarde para algunas de nosotras. Además, los resultados de muchísimos de los estudios parecen escritos en arena movediza. Cada uno de ellos remite de nuevo a otros investigadores hacia sus laboratorios para refutar, cambiar o añadir algo a lo que se ha descubierto o se sabía antes. Este método científico puede hacer avanzar la investigación, pero no aporta demasiado a las mujeres de hoy que quieren respuesta a su pregunta: ¿debo tomar estrógenos?

11 Tengo treinta y ocho años. Me acaban de informar que necesito someterme a una histerectomía con ooforectomía bilateral. Mi médico me ha informado que casi de inmediato entraré en la menopausia, y por lo tanto quiere empezar a administrarme estrógenos después de la intervención. ¿Por qué debo tomar estrógenos?

La menopausia quirúrgica se produce al retirar el útero y los dos ovarios. Usted está demasiado joven para entrar en la menopausia. Permítame explicarme. Como sabe, la edad promedio para la menopausia es cincuenta y un años, es decir, cuando los ovarios se quedan sin óvulos y por tanto dejan de producir estrógenos y progesterona, las hormonas femeninas. Los estrógenos bañan y nutren muchos de sus órganos y tejidos ayudándoles a la vez a realizar sus respectivos procesos. Como usted perderá su principal fuente de estrógenos demasiado pronto, es importante que éstos sean reemplazados para que no se prive de sus efectos protectores muchos años antes de lo que es natural. Los estrógenos son de vital importancia para las mujeres jóvenes; algunos estudios indican que además de otros síntomas de la menopausia, las mujeres jóvenes pueden desarrollar una depresión en un lapso de tres años después de esta cirugía.

Aunque la depresión es una manifestación psicológica, sus raíces con frecuencia tienen un origen fisiológico. Además, el comienzo de la menopausia quirúrgica usualmente es súbito y con síntomas floridos, a diferencia del proceso gradual de instalación de la menopausia natural. La administración de estrógenos contrarresta la arremetida de los síntomas. (En el capítulo 13 encontrará más información acerca de la histerectomía.)

12 **Mi madre tiene setenta y dos años y está totalmente invadida por la osteoporosis. Yo tengo cincuenta y dos y mi médico me ha dicho que debería empezar a tomar estrógenos. ¿En qué forma me ayudarán los estrógenos a no pasar por la misma experiencia que mi madre?**

Se han hecho muchísimas descripciones de la prevención de la osteoporosis en la última década, pero creo que la mejor de todas es la siguiente: piense en ella como un taburete de tres patas. Una de ellas es el ejercicio — que, de hecho, le ayuda a controlar el peso; la segunda pata es el calcio — deben tomarse entre 1.000 y 1.500 miligramos diarios, según la edad; y la tercera es la terapia de sustitución estrogénica. Se necesitan las tres patas para lograr un taburete firme. Igualmente, las tres son importantísimas para ayudarle a protegerse de sus antecedentes familiares de osteoporosis. (En el capítulo 3 encontrará más información al respecto.)

13 Los calores me tienen totalmente desesperada. ¿Debo tomar estrógenos?

Los calores son síntomas vasomotores ocasionados por cambios en la química cerebral, cambios que dan origen a una serie de actividades comparables al efecto dominó. Los cambios químicos en el cerebro son el resultado directo de una caída súbita de la producción de estrógenos. Estos cambios afectan el centro de control de temperatura localizado en el hipotálamo, también ubicado en el cerebro. El hipotálamo es el encargado de dirigir la producción de hormonas que producen una modificación en el centro de control de temperatura del cuerpo. Esto, a su vez, dilata los vasos sanguíneos de la piel, dando origen a una sudoración profusa mientras el cuerpo —acostumbrado a un centro de control de temperatura— empieza a trabajar para reajustar su termostato. Esta modificación general hace que usted sienta que su termostato se ha enloquecido totalmente. Como la caída abrupta de la producción de estrógenos es la culpable de toda esta serie de eventos, la sustitución de los estrógenos usualmente controla los calores.

Los calores pueden variar desde una pequeña molestia hasta tener características profundamente debilitadoras. La oleada de calor por lo general se inicia desde la parte inferior del torso y se va extendiendo hacia arriba, cubriendo todo el pecho, la espalda, el cuello, la cara y el cuero cabelludo. Hay algunas mujeres que experimentan muy pocos calores, quizá dos al día durante un par de años, pero hay otras que comentan haber experimentado hasta cincuenta diarios durante varios años. Aunque no se ha comprobado científicamente, hay muchas mujeres que dicen haber experimentado alivio de estos calores tomando vitamina E, en cantidades que oscilan entre las 400 y las 1.000 unidades internacionales (UI) al día. Consulte con su médico antes de tomar grandes cantidades. También es buena idea controlar el estrés, el consumo de alcohol, la cafeína y las comidas muy condimentadas, lo que ha ayudado a muchas mujeres a controlar los calores. Por otra parte, también hay mujeres que afirman haber experimentado oleadas de frío, las cuales mejoran de igual forma con los estrógenos. Una buena idea sería llevar varias prendas (blusa, chaqueta, chal).

14 Hace muchos años estoy tomando píldoras anticonceptivas. Cuando entre en la menopausia, ¿tendré que empezar a tomar estrógenos? ¿En qué se diferencian los estrógenos de la "píldora" y los estrógenos que se utilizan en la terapia de sustitución?

Incluso las píldoras anticonceptivas nuevas, cuyas dosis son mucho más bajas, contienen una cantidad de estrógenos mucho mayor que las que suelen prescribirse para contrarrestar los síntomas de la menopausia. Parece que usted no ha tenido ningún problema con las píldoras anticonceptivas y es posible que sea una de esas mujeres afortunadas que simplemente entran en la menopausia, cambiando su fuente de estrógenos y la cantidad que reciben, sin experimentar prácticamente ningún síntoma. Y digo afortunada porque no hace mucho tiempo los médicos no iniciaban una TSE o una TSH hasta no estar seguros de que las mujeres cumplían un año sin períodos, no importa qué tan fuertes eran sus síntomas. Las nuevas minipíldoras de dosis bajas cambiaron esa filosofía, pero este cambio puede ser engañoso. En parte, los médicos esperaban todo un año para asegurarse de que los estrógenos se habían terminado y que la vida fértil había llegado a su fin, para no agregar estrógenos de sustitución a la cantidad de estrógenos que aún pudieran estar circulando en el organismo. La decisión resultaba bastante arriesgada porque pensar que un nuevo embarazo no era posible, no constituía una seguridad. Hay muchísimos bebés sorpresa que fueron concebidos en este período. Además, si usted todavía estaba produciendo estrógenos, añadirle aún más podía causarle otros problemas.

Cuando llegue el momento, consulte con su médico para tratar de determinar si en realidad está en la menopausia y por tanto puede buscar un cambio de fuente de estrógenos y para determinar la cantidad de la hormona en el medicamento y del régimen del mismo. Un sencillo análisis de sangre, o varios, si el primero no lleva a una conclusión clara, le proporcionará la respuesta.

15 ¿Todas las mujeres deben tomar estrógenos?

Los expertos opinan de manera diferente, lo que no suele ayudar mucho. Algunos médicos afirman que cerca de un tercio de las mujeres no necesitan estrógenos, lo que indica que tal vez tengan un mecanismo compensatorio que les permite a sus cuerpos producir la cantidad de estrógenos que necesitan. Algunas mujeres postmenopáusicas parecen tener la posibilidad de producir una cantidad de estrógenos pequeña, aunque suficiente, o de convertir en estrógenos otras hormonas de su cuerpo. Otras mujeres pueden utilizar los estrógenos almacenados en su tejido graso, con lo cual logran compensar, hasta cierto punto, la falta de producción del mismo por parte de sus ovarios. Con frecuencia, éstas son las mujeres que parecen pasar a través de la menopausia sin presentar síntoma ni fastidio alguno. Digo parecen pasar porque a menos de que conozcan cuál es la situación de sus huesos y en qué estado están los otros órganos que necesitan la protección de los estrógenos, ¿cómo pueden saber si en realidad lograron pasar o si simplemente se han salvado de las manifestaciones externas o de la sintomatología?

Las mujeres que tienen factores de riesgo para ciertas enfermedades como la osteoporosis y las enfermedades cardíacas (abordaremos estos temas en el capítulo 4) y aquéllas que presentan síntomas desagradables, lo mismo que las que no muestran contraindicación alguna para tomar estrógenos, con frecuencia deciden tomarlo. Por ejemplo, cuatro de cada diez mujeres menopáusicas sufrirán de osteoporosis y necesitan saber lo más pronto posible que son personas de alto riesgo. Es muy probable que para poder mantenerse erguidas estén necesitando el taburete de tres patas antes mencionado. Pero hay algunas mujeres que por razones médicas definitivamente no pueden tomar estrógenos. En el capítulo 4 las describiremos.

16 ¿Si tomo estrógenos aumentará mi peso?

Ésta es una preocupación bastante corriente y la respuesta, según un estudio reciente, es no. Sin embargo, uno de los efectos colaterales tanto de la terapia de sustitución estrogénica como de la terapia de suplencia hormonal con frecuencia parece ser un ligero aumento de peso. También es posible que el aumento sea uno de los efectos tanto de la menopausia como de la entrada en la edad madura. Vivimos en una sociedad en la que permanecer delgadas se ha convertido en una obsesión. En lo que respecta a estrógenos y aumento de peso, he tenido acceso a diferentes informes en los que se afirma que la retención de líquidos y la tendencia a hincharse pueden ser la causa de un aumento aproximado de seis libras cuando una mujer está tomado estrógenos, pero eso es todo. El estudio que mencioné inicialmente, publicado en el *Journal of Clinical Endocrinology and Metabolism,* mayo de 1997, indicaba que las mujeres postmenopáusicas sometidas a terapias de suplencia hormonal de hecho ganaron menos peso que aquéllas que tomaron placebo.

El estudio proporciona evidencia según la cual el argumento del aumento de peso no debería esgrimirse para disuadir a las mujeres de someterse a las terapias de suplencia hormonal. Si algo demuestra el estudio es que estas terapias podrían disminuir levemente la tendencia de algunas mujeres postmenopáusicas a ganar kilos de más.

Otros estudios demuestran claramente que los cambios que empiezan a producirse alrededor de los treinta y cinco años en el metabolismo son los culpables del aumento de peso. El metabolismo femenino empieza a experimentar una reducción que está entre 0.5 y 1 % al año. Es entonces cuando deberíamos empezar a acelerar nuestro programa de ejercicios y a disminuir el consumo de calorías. Expliquemos ahora por qué necesitamos hacer esto. Digamos, por ejemplo, que su metabolismo empieza a disminuir en 1 % al año. En los quince años comprendidos entre ese momento y la menopausia, su metabolismo habrá disminuido aproximadamente 15%. Para contrarrestar esta disminución es muy importante que introduzca algunos cambios pequeños en su estilo de vida. Debe consumir alimentos más saludables, reducir las porciones y hacer más ejercicio. Conozco muchas mujeres que prácticamente oran ante la balanza todas las mañanas para que ésta les sea favorable. Si la respuesta las favorece, el día será bueno, si sucede lo contrario, se sentirán totalmente derrotadas.

17 ¿Debo tomar progesterona con estrógenos? ¿Por qué?

El pensamiento científico actual es que si su útero está intacto debe tomar las dos hormonas. El "por qué" se remonta a la situación que mencionamos antes en relación con la publicación del libro *Feminine Forever,* del doctor Wilson, ése que revolucionó la sociedad e inauguró la revolución de la terapia de sustitución estrogénica. En ese entonces solamente se prescribía estrógenos, pero los dos artículos que se publicaron en 1976 en el *New England Journal of Medicine*, que prevenían sobre la posible incidencia de cáncer en las mujeres que tomaban estrógenos, detuvieron de tajo la revolución. Los artículos demostraban claramente que había una estrecha relación entre la terapia de sustitución estrogénica y el desarrollo del cáncer de endometrio (cáncer uterino). Durante varios años, médicos bastante conservadores dejaron de prescribir estrógenos a sus pacientes mujeres. Pero a principios de la decada de 1980 se empezó a formular la combinación estrógenos con progestágeno, lo que produce en su cuerpo un ciclo similar al natural. Muchos médicos creían entonces, algunos continúan creyéndolo ahora, que una mujer cuyo útero estaba intacto podía recibir todos los beneficios de los estrógenos si tomaba también progestágeno para protegerse contra el cáncer del endometrio. Recordará que es precisamente el progestágeno el que permite el desprendimiento del revestimiento interno del útero en lo que conocemos como el flujo menstrual (ver la pregunta 58 del capítulo 4, en relación con "menstruar siempre"). Si no prolifera el recubrimiento de las paredes del útero, el endometrio no se engrosa y por tanto no adquiere condición precancerosa. En la actualidad hay distintas formas de prescribir las dos hormonas, éstas se describirán en el capítulo 7.

18 ¿Necesito en realidad reemplazar los estrógenos que pierdo después de la menopausia?

Buena pregunta, cuya respuesta no es nada fácil pues depende de cada caso particular. Es necesario conocer en detalle su historia clínica y la de los miembros de su familia. Por ejemplo, ¿existen en su historia factores de riesgo que indiquen posibilidades de sufrir osteoporosis, problemas cardíacos o alguna de las otras enfermedades que según las investigaciones pueden beneficiarse de los efectos protectores de los estrógenos como son el cáncer de colon o de recto, la enfermedad de Alzheimer o la osteoartritis? ¿Los factores de riesgo son pocos o quizá no presenta ninguno? En caso negativo es posible que no necesite plantearse la posibilidad de la terapia de sustitución por el momento. Digo "por el momento" porque cada estudio nuevo parece añadir más datos a la lista de beneficios para la mujer que quiere y puede tomar estrógenos. Sin importar lo que esté haciendo en el momento, le sugiero que mantenga una actitud abierta y revise periódicamente el tema. Pero antes de tomar una decisión, es necesario que se plantee una y otra vez la pregunta cuando vaya a control médico. Recoja siempre toda la información que pueda. Sométase al test de autoevaluación relacionado con los estrógenos que aparece en el capítulo 14, esto le ayudará a prepararse.

19 ¿Qué exámenes me ordenará el médico para determinar si los estrógenos me convienen?

Antes de prescribir estrógenos su médico la interrogará, si no lo ha hecho antes, para determinar sus antecedentes personales y familiares, haciendo énfasis en la información relacionada con cáncer, problemas cardíacos y osteoporosis. Después de esto le hará un chequeo general que incluye examen del seno, de la pelvis y una citología. Es posible que le ordene una mamografía y, al menos eso espero, una densitometría ósea y un electrocardiograma. Además le tomará la tensión arterial. Por lo general se toma una muestra de sangre para practicar una serie de análisis entre los que están los niveles de estradiol, función hepática, niveles de colesterol y triglicéridos, función tiroidea, niveles de azúcar (glucosa), de fósforo y de calcio. Una vez obtenidos los resultados de todos estos análisis su médico deberá revisarlos y entonces podrá decirle si considera que usted debe o no tomar estrógenos. Éste sería el momento apropiado para tratar de saber cuál es la posición de su médico en relación con la terapia de sustitución estrogénica y por qué ha llegado a esa conclusión. Esta información le permitirá a usted tomar su propia decisión. Recuerde que no sería justa consigo misma si toma una decisión sin primero obtener el beneficio que le proporcionaría tener toda esta información.

Incluso teniéndola toda, hay algunos médicos que antes de iniciar la terapia con estrógenos, o con estrógenos y progesterona, en caso de que su útero esté intacto, también le ordenan un ultrasonido vaginal o una biopsia del endometrio para verificar en qué condiciones están las paredes interiores de su útero, asegurándose así de que no hay células anormales escondidas allí. En ocasiones se solicita también un "examen de estímulo con progesterona", que consiste en tomar 10 miligramos de progesterona por un período de siete a diez días. Al final de este término usted debería tener un sangrado si hay suficientes estrógenos en su organismo. Si no hay sangrado esto puede significar que sus niveles de estrógenos son bajos, y entonces lo indicado sería iniciar una terapia de sustitución hormonal.

20 ¿Debo empezar a tomar estrógenos ahora o tratar de soportar al máximo?

De nuevo aquí entran en juego todos los síntomas y factores de riesgo personales. ¿Son sus períodos caprichosos — muy cortos, muy distanciados entre sí, más fuertes o más suaves? ¿Ha dejado de menstruar totalmente? Si la respuesta es afirmativa a cualquiera de las preguntas anteriores, lo mejor sería consultar con su médico para que le practique una prueba de hormona folículostimulante. Con este sencillo análisis de sangre se podrá determinar la relación de FSH/estradiol en su sistema. Si el nivel de hormona folículostimulante es de más de 40 y el de estradiol es de menos de 14, la terapia de sustitución estrogénica puede perfectamente entrar dentro de sus perspectivas. Esto también aplica si está experimentando síntomas limitantes como calores, sudores nocturnos, insomnio, palpitaciones, depresión menor, cambios del estado de ánimo, dolor en las articulaciones, fatiga, sequedad vaginal u otras manifestaciones que estén minando su calidad de vida. Si presenta un riesgo alto para cualquiera de las enfermedades que pueden prevenirse con los estrógenos, también es una buena razón para empezar su terapia con estrógenos. Cuando dicto conferencias o escribo, siempre sugiero que todas y cada una de las mujeres deben leer cuanto puedan sobre la menopausia y los estrógenos, a fin de poder tomar la mejor decisión en cada caso particular.

21 ¿Puedo suspender el tratamiento con estrógenos cuando quiera?

Se puede, pero mi sugerencia es que consulte con su médico antes de tomar la decisión. Como ya lo sabe, los estrógenos y la progesterona son hormonas potentes; por lo tanto, en caso de decidir suspender cualquiera de los dos tratamientos, ya sea la terapia de sustitución estrogénica o la terapia de suplencia hormonal, debe hacerse en forma gradual. Consulte las razones que la llevan a tomar esta decisión: el medicamento no está controlando los síntomas molestos, ha experimentado un alza en la tensión arterial, se siente hinchada y le preocupa haber ganado unas cuantas libras. La mayoría de las mujeres ignoran que hay diferentes preparados de estrógenos, variedad en las dosificaciones y una gran diversidad de regímenes para tomar estrógenos (todas éstas serán mencionadas más adelante). Quizá otro producto, otra dosificación o una forma diferente de tomarlo podría solucionar sus problemas y usted seguiría beneficiándose de los estrógenos.

Sin embargo, si la terapia de sustitución estrogénica no es para usted, suspenda el medicamento de manera gradual. Los médicos suelen sugerir la siguiente gradación para dejar las tabletas orales: Tomarla los días 1 y 2. No tomar en el día 3. Volver a tomar los días 4 y 5. No tomar el día 6. Seguir este ritmo durante aproximadamente dos semanas. La tercera semana, tomar la tableta día de por medio. La siguiente, $^1/_2$ tableta día de por medio, durante aproximadamente una semana y luego dejarla por completo.

Los parches (ver capítulo 5) son un poco más complicados. Los médicos sugieren cubrir con cinta la mitad del parche que va contra su cuerpo, a fin de que usted absorba sólo la mitad de la dosis, o cortarlo por la mitad cubriendo los orillos para lograr una disminución gradual en la dosificación. Puede continuar cambiando los parches reformados siguiendo la misma rutina que tenía antes durante las primeras dos semanas, cámbielo una vez por semana en las siguientes dos semanas y luego suspéndalo.

De esta forma su cuerpo tiene la posibilidad de acostumbrarse a seguir adelante sin estrógenos. En el libro *Women's Bodies, Women's Wisdom* (La mujer y su cuerpo, sabiduría femenina), la doctora Christiane Northrup sugiere que cuando quiera dejar los estrógenos lo haga muy lentamente, en un período de seis meses, para permitirle a su cuerpo el reajuste. Su sistema parece ser el más fácil de todos. Dejar una tableta al mes. Por ejemplo, el primer mes dejar la de los lunes, el segundo, la de los martes y así hasta terminar. Pero antes de introducir cualquier cambio consulte su decisión con su médico, quien no sólo necesita saber qué está haciendo usted sino que también puede sugerirle un sistema mejor para suspender la terapia.

22 ¿Qué debo hacer si mi médico no es partidario de prescribir la terapia de sustitución estrogénica o la terapia de suplencia hormonal?

Ante todo debe consultarle en qué se basa su elección y discutirla detalladamente. Pregúntele si se trata únicamente de una idea general y cobija a todas sus pacientes, o si esa actitud se refiere específicamente a usted. Si su decisión tiene que ver con sus factores de riesgo particulares o con su estado de salud, pídale una explicación detallada y asegúrese de que sus argumentos le satisfacen. Si, por el contrario, tiene que ver con una idea generalizada que le lleva a tratar de evitar los estrógenos y usted quiere ensayarlo, solicite que la remitan a un médico que esté en posición de ayudarle. También consulte con otros miembros de su familia y con sus amigas; es posible que algunos nombres aparezcan repetidamente en las distintas sugerencias, lo cual le ayudará a tomar una decisión. Solicite citas de consulta con los dos nombres que ocupen el primer lugar en su lista; es posible que alguno de ellos le ayude a tomar su decisión.

Cuando de tomar estrógenos se trata, es importante buscar mucha información y tomar muchas decisiones... pero ninguna de ellas es irrevocable.

3

¿QUÉ BENEFICIOS ME PROPORCIONA LA TERAPIA DE SUSTITUCIÓN ESTROGÉNICA?

A pesar de la enorme cantidad de libros, artículos, conferencias y seminarios que se han dictado sobre la menopausia en la última década, según más del 70 % de las mujeres que responden mis cuestionarios, la mayoría todavía quieren saber más sobre el tema y mucho más aún sobre los estrógenos. ¿La terapia de sustitución estrogénica me beneficiará? Se preguntan una y otra vez.

El tipo de preguntas no ha variado mucho durante los últimos años; más del 64 % de las mujeres entrevistadas quieren más información sobre los efectos psicológicos de la menopausia y alrededor del 62 % quieren información adicional sobre sus efectos fisiológicos. La preocupación sobre el posible aumento de peso es una de las más importantes, poco menos del 60 % de las mujeres la manifiestan; y la preocupación por la ansiedad, la irritabilidad y los cambios del estado de ánimo la siguen de cerca, posicionándose un poco por encima del 58 %. Hay otras preguntas que también persisten, como son las relacionadas con el insomnio (50.5 %), depresión menor (46.4 %), sequedad vaginal (44.9 %), calores (40.2 %), y disminución de la libido (38.9 %).

Cuando reviso las preguntas que surgen repetidamente en los distintos programas y talleres, me doy cuenta de que tampoco han cambiado mucho en los últimos años. Sin duda hay una razón de dos caras para esto: Si bien las audiencias cambian en la medida en que cada día hay más mujeres que entran en la edad de la menopausia, cuando las mujeres postmenopáusicas se dan cuenta de que sus perspectivas de vida son cada día mayores, sienten el deseo de revisar qué les ofrecen los estrógenos aunque nunca antes los hubieran considerado, o simplemente porque hubieran decidido no tomarlos.

La cantidad de posibilidades terapéuticas con estrógenos tiende a confundir. Para comenzar, usted tiene la posibilidad de elegir la clase de estrógenos que desea ensayar. Se encuentran en forma de tabletas, que en el momento son el tipo más extendido pues han estado en el mercado por más de cincuenta y cinco años. Después están los parches. La terapia con parches entró en el mercado americano con la aprobación de la FDA bajo la presentación de un sistema transdérmico denominado Estraderm. Hoy hay varios tipos de parches en el mercado; en el capítulo 5 encontrará una revisión de éstos y otros productos.

En la actualidad hay una enorme variedad de dosificaciones diferentes que pueden servirle a usted, puesto que la mayoría de productos vienen con distintas concentraciones. Hay también diferentes regímenes que usted puede ensayar si su útero está intacto y necesita tomar una combinación de estrógenos y progestágeno. Tanto los regímenes cíclicos como los continuos serán abordados en el capítulo 7.

Si desea tomar estrógenos, la lista de los beneficios que puede obtener es larga. También hay riesgos, de éstos hablaremos en el capítulo 4. Pero nos parece que lo más lógico es iniciar con los beneficios, puesto que si usted ha decidido leer este libro lo más posible es que esté considerando la posibilidad de tomar estrógenos y se esté preguntando cuáles serán los beneficios que le pueden proporcionar.

He estado observando el curso de los acontecimientos en lo que a los estrógenos respecta desde la publicación de *Managing Your Menopause* (¿Cómo enfrentar su menopausia?) en 1990, libro del que soy co-autora. He seguido con atención todos los estudios que se han publicado y he tratado de asistir a todos los encuentros científicos que se han realizado y a muchas de las reuniones científicas en las que el tema de los estrógenos ha sido central. Toda esta actividad me ha servido para darle más consistencia a mi opinión de que los estrógenos son importantes para las mujeres si no hay ninguna clara contraindicación médica. R. Jeffrey Chang, M.D., director de endocrinología reproductiva e infertilidad en la Escuela de Medicina de la Universidad de California en San Diego, afirma: "Creo que en general todas las mujeres a las que les faltan los estrógenos deben considerar la posibilidad de tomarlos. El problema, en mi opinión, es que sencillamente las mujeres no conocen las razones por las cuales deberían tomar estrógenos".

En este capítulo vamos a revisar estas razones para ayudarle a decidir si los estrógenos pueden servirle. Soy consciente de que muchas mujeres tienden a rechazar la idea de introducir en su cuerpo algo que le es extraño. Debo recordarles que los estrógenos no son un elemento extraño: empezaron a circular en su sangre y a proporcionar beneficios a más de trescientos procesos de su organismo desde los años que precedieron a la pubertad. Otras mujeres parecen resistirse a la idea de contravenir los designios de la Madre Naturaleza. Es posible que debamos mirar las cosas desde otro ángulo; pensemos que más bien la Madre Naturaleza nos ha jugado una mala pasada. Pienso una y otra vez en las mujeres cuya vida a finales del siglo pasado solía terminar casi al mismo tiempo que su edad reproductiva. En ese momento a las mujeres no se les planteaba la necesidad de tomar una decisión al respecto.

En la actualidad una mujer saludable a los cincuenta y un años, edad promedio para la menopausia, está apenas en la mitad de su vida adulta. Así pues, con otra mitad en perspectiva, tiene todo el derecho de estudiar la posibilidad de reemplazar los estrógenos que le faltan. Pero las inconsistencias médicas y científicas en lo relacionado con los estrógenos y los correspondientes escándalos en los medios de comunicación cada vez que un elemento a favor o en contra se publica, dificultan mucho a las mujeres tomar la decisión. ¿Es la pregunta sobre la terapia de sustitución como una adivinanza? Una mujer me dijo en uno de mis seminarios más recientes: "Ruth, ¿me estás proponiendo que tome estrógenos para protegerme de la osteoporosis cuando tenga ochenta años y de una enfermedad cardíaca cuando tenga setenta, de modo que pueda tener cáncer de seno a los cincuenta?" A lo que le respondí enfáticamente, "¡No, no lo estoy haciendo!"

Sin embargo, ése es el punto crucial del dilema. Aunque debo admitir que los estudios relacionados con estrógenos y cáncer de seno siguen confundiendo a unos y a otros, incluidos nosotros mismos, creo que con la información disponible en la actualidad sobre los beneficios y los riesgos de la administración de estrógenos, a todas y a cada una de las mujeres se les facilitará tomar su propia decisión al respecto. Creo que este libro es importante puesto que cada vez que miro a mi alrededor en cualquier auditorio cuando estoy hablando, veo más y más mujeres de distintos rangos de edades. Eso me indica que para muchas mujeres el jurado sigue ausente cuando se trata de tomar su decisión final en relación con los estrógenos. Como es la primera pregunta que me plantean siempre, creo que deberíamos empezar a tratar de comprender cuál es la posición de los médicos frente al tema de las terapias de sustitución.

23 ¿Cuál es la principal razón por la cual los médicos prescriben estrógenos?

Creo sinceramente que los médicos, conscientes de nuestras crecientes expectativas de vida y nuestros cada vez mayores factores de riesgo a medida que nuestra edad aumenta, eligen formular estrógenos para que las mujeres puedan vivir mejor ya que han de vivir por más tiempo. Aunque la terapia de sustitución estrogénica y la terapia de suplencia hormonal han sido enormemente calumniadas como herramientas de la industria farmacéutica para medicalizar y comercializar la menopausia, no creo ni por un segundo que los médicos recomienden los estrógenos por razones diferentes al mayor beneficio de sus pacientes. Una vez afirmado lo anterior, debo añadir que muchos médicos no tienen o no se toman el tiempo necesario para informar a sus pacientes por qué desean prescribirles estrógenos, ni para analizar las opciones respecto a productos, dosificación y régimen. Infortunadamente, la falta de información y de discusión con las pacientes conduce al incumplimiento de las prescripciones o a la suspensión de la terapia, sin siquiera consultarlo con sus médicos.

24 ¿Los estrógenos son una buena opción para prevenir la osteoporosis?

Téngalo por seguro —junto con una dieta rica en calcio y ejercicio para controlar el peso.

La menopausia es un estado en el que hay cierta propensión a la pérdida de densidad ósea, y todas las mujeres postmenopáusicas corren el riesgo de sufrir de osteoporosis (huesos debilitados). Una de cada dos mujeres, una vez pasada la edad de la menopausia, eventualmente sufrirá una fractura a causa de la osteoporosis. De hecho, la osteoporosis es la cuarta causa de muerte entre las mujeres y ha sido correctamente calificada como enfermedad femenina. De acuerdo con las estadísticas de la National Osteoporosis Foundation (NOF), 28 millones de estadounidenses tienen osteoporosis o corren el riesgo de desarrollarla: 10 millones ya tienen la enfermedad, 18 millones tienen una masa ósea disminuida, lo que les coloca en situación de riesgo. De estas cifras, 80% son mujeres.

Otra estadística de la NOF que también resulta pertinente incluye la siguiente información: 90% de las fracturas de cadera y 90% de las fracturas de la columna en mujeres blancas de edad avanzada son producidas por la osteoporosis.

Aunque la osteoporosis ha sido resaltada últimamente por los medios de comunicación, es una enfermedad vieja. Su identificación y comprensión médica viene desde los primeros años de la década de 1940 y sus factores de riesgo se conocen ya hace muchos años.

Cada vez que veo a una mujer con joroba (cifosis dorsal), pienso en lo que significa la osteoporosis para la vida de las mujeres. ¿Debe usted preocuparse al respecto?

La verdad es que sí. Especialmente si tiene factores de riesgo que la hacen susceptible de contraer esta enfermedad. Revise los factores de riesgo enumerados en la respuesta a la siguiente pregunta y luego haga las siguientes consideraciones: el riesgo de fracturarse una cadera debido a la osteoporosis es mucho mayor que el riesgo combinado de desarrollar cáncer de seno, de útero y de ovarios. A pesar de que la osteoporosis es una enfermedad que puede prevenirse, ocupa el cuarto lugar en la lista de enfermedades publicada por los Institutos Nacionales de Salud de Estados Unidos, como las principales causas de muerte en mujeres, después de la enfermedad cardíaca, el cáncer y el derrame o ataque cerebral. Para contrarrestar su temor a la osteoporosis, en primer lugar sométase a una densitometría ósea, y luego, dependiendo de los resultados y de sus factores de riesgo, discuta con su médico un programa para prevenir la osteoporosis. Ciertamente, esa discusión debe tener en cuenta el ejercicio para controlar el peso, una dieta rica en calcio y la administración de estrógenos.

25 ¿Cuáles son los factores de riesgo para la osteoporosis?

Los factores de riesgo para la osteoporosis son muchos y de diversa índole. Como sucede con otras enfermedades, puede darse por satisfecha si se "ganó" los padres adecuados. Es decir, los factores hereditarios son los primeros de la lista:

- antecedentes familiares de la enfermedad.
- menopausia temprana (antes de los cuarenta y cinco años).
- origen caucásico o asiático.
- estilo de vida sedentario (es decir que no hace mucho ejercicio).
- ser de tamaño mediano, con huesos pequeños y delgada.
- haber consumido poco calcio en la vida.
- administración a largo plazo y en dosis altas de ciertas medicinas tales como corticoesteroides, heparina, anticonvulsivos y algunos tipos de quimioterapias.
- sobredosificación de medicamentos para la tiroides (sométase a un análisis de sangre anual para tener este elemento bajo control).
- consumo excesivo de alcohol, cafeína, proteínas y colas (aunque algunos de éstos se discuten de tiempo en tiempo).
- fumar cigarrillo.

26 ¿Cómo puedo verificar el estado de mis huesos?

Hay una gran diversidad de análisis disponibles para controlar la fortaleza de sus huesos. Creo sinceramente que toda mujer menopáusica o que presente un cierto número de factores de riesgo debe someterse a una densitometría ósea. Los resultados de esta prueba deben tenerse en cuenta para tomar su decisión. Infortunadamente, muchas mujeres todavía ignoran que deberían someterse a este examen y muchos médicos todavía no lo han incorporado dentro de los procedimientos de rutina en el seguimiento de la menopausia.

Sigo pensando que un escrutinio completo de la osteoporosis es una buena idea; sin embargo, esta opinión no goza de popularidad. Aunque el escrutinio de la osteoporosis por medio de la determinación de la densidad mineral ósea se discute debido a su elevado costo, un estudio sueco, publicado en *Archives of Internal Medicine*, en octubre de 1997, indica que el escrutinio ha aumentado el uso de la TSE y la TSH, especialmente en mujeres con una densidad mineral ósea muy baja.

El procedimiento denominado medición de la absorción de energía dual de rayos X es el estudio clásico para determinar la densidad ósea. Proporciona medidas de la densidad ósea en la cadera y en la columna vertebral, demora menos de quince minutos (con la máquina más moderna el examen se demora solamente ocho minutos) y la radiación a la que se somete al paciente es menor que la que recibe por una radiografía de tórax o una radiografía dental. También existen otros procedimientos, más modernos y rápidos, que parecen interesantes, pero no importa qué tipo de examen le practiquen, lo importante es que se someta a este chequeo. Discuta las distintas posibilidades con su médico.

27 ¿Qué debo hacer si mi densidad ósea ha disminuido?

Algunos productos con estrógenos han sido aprobados por la FDA para la prevención y el tratamiento de la osteoporosis; otros, exclusivamente para la prevención. Hasta hace poco tiempo, los estrógenos eran la principal medicación para las mujeres con osteoporosis. Hoy hay productos no hormonales como el alendronato (Fosamax, tabletas), y la calcitonina (Miacalcic, una forma de calcitonina de salmón disponible para inyección y más recientemente en forma de nebulizador nasal), que disminuyen el proceso de reabsorción ósea. Como suele suceder, hay efectos secundarios de los que usted debe ser consciente, como molestias digestivas o irritación del esófago con Fosamax, que pueden evitarse si se siguen cuidadosamente las instrucciones. Se sugiere tomar Fosamax en la mañana, al menos treinta minutos antes de comer o beber cualquier cosa diferente a ocho onzas de agua pura y después permanecer en posición erecta (sentada o de pie) durante esta media hora.

Un estudio reciente con 1.609 mujeres saludables entre

los cuarenta y cinco y los cincuenta y nueve años y cuya menopausia se inició al menos seis meses antes, fue realizado en cuatro centros médicos para determinar los efectos del alendronato en las mujeres postmenopáusicas. Se encontró que el alendronato previene la pérdida ósea en las mujeres postmenopáusicas menores de sesenta años prácticamente de la misma forma que la combinación estrógenos-progestágeno. El estudio fue publicado en *The New England Journal of Medicine* en febrero 19 de 1998. Esto nos plantea una alternativa para conservar la masa ósea y reducir el riesgo de fracturas futuras en mujeres que no necesitan controlar otros síntomas de la menopausia, o que no pueden o no desean, no importa qué razones tengan, someterse a la terapia de suplencia hormonal o a la terapia de sustitución estrogénica.

Miacalcic, nebulizador nasal de calcitonina de salmón, se recomienda con frecuencia a mujeres cuya menopausia se presentó hace cinco o más años, que no toman estrógenos porque no pueden o porque no quieren. Puede producir una leve irritación nasal, que por lo general es pasajera.

Otro producto que se abrió paso rápidamente en el proceso de aprobación de la FDA es el compuesto de estrógenos sintéticos denominado raloxifeno. Aprobado en la actualidad bajo el nombre de Evista (nombre comercial con el que se conoce en Estados Unidos), es el primer eslabón de lo que creo será una cadena de "estrógenos de diseño" que estarán disponibles para la prevención de la osteoporosis y/o para el tratamiento de la osteoporosis. En el capítulo 8 se describe en detalle este producto.

El fluoruro de sodio, que todavía no ha sido aprobado por la FDA para uso general, se diferencia de los otros productos en que de hecho estimula la formación de los huesos. En el estudio más reciente que se está haciendo, éste se administra en tabletas de liberación lenta dos veces al día durante un año completo. Luego se interrumpe el tratamiento durante dos meses después de los cuales se retoma. El fluoruro de sodio estimula los osteoblastos o células productoras de tejido óseo.

Todas estas prevenciones o tratamientos son adecuados para proteger los huesos, pero deben utilizarse junto con una dieta rica en calcio —al menos 1.000 miligramos de calcio diario, más 400 unidades internacionales de vitamina D— y una rutina regular de ejercicio.

28 ¿La terapia de sustitución estrogénica disminuye el riesgo de desarrollar problemas cardiovasculares?

Éste es un efecto claro que se ha demostrado en muchos de los estudios más recientes; el más conocido de todos es el *Harvard Nurse's Health Study* (Estudio de salud de las enfermeras de Harvard), que ha permitido a los investigadores llegar a la conclusión de que las mujeres que toman estrógenos parecen tener cerca de la mitad del riesgo de presentar ataques cardíacos mortales o no mortales. Éste es un estudio que se prolongará todavía, es decir ha sido diseñado para obtener información durante un número específico de años y en él están comprometidas 120.000 enfermeras. Otros estudios realizados en otros lugares del mundo parecen respaldar también la relación entre estrógenos y protección cardiovascular. Hasta hace pocos años, los ataques cardíacos parecían pertenecer al ámbito masculino, pues según se pensaba éstos tenían una estrecha relación con el excesivo estrés que los hombres enfrentaban en sus lugares de trabajo. Los ataques cardíacos solían atacar a los hombres entre los cuarenta y los cincuenta años, mientras que aparentemente a las mujeres no solían golpearlas. Posteriormente, cuando la ciencia médica encontró la forma de aumentar el promedio de vida tanto de hombres como de mujeres, las mujeres empezaron a sufrir ataques cardíacos en números crecientes y con frecuencia a morir como consecuencia de ellos, aunque por lo general más tarde que los hombres. Los investigadores empezaron a buscar las razones para explicar por qué las mujeres estaban experimentando enfermedad coronaria (EC) entre los sesenta y los setenta años (es decir, unos diez años después que los hombres).

29 ¿Qué protección tenían las mujeres en los años anteriores? ¿Acaso los estrógenos?

Estas preguntas sugirieron la necesidad de investigar el proceso de la menopausia y la supresión de los estrógenos ocasionada por ésta. Por fin se empezó a investigar a fondo lo relacionado con la enfermedad coronaria y la mujer. Los resultados de esta investigación sugirieron que es muy posible que los estrógenos protejan a la mujer contra los bloqueos arteriales que dan origen a los ataques cardíacos y cerebrales, puesto que ayudan a mantener la elasticidad de los vasos sanguíneos, lo que les permite un mejor funcionamiento. Estudios adicionales indican que los estrógenos aumentan la lipoproteína de alta densidad (HDL), o colesterol "bueno", y disminuyen la lipoproteína de baja densidad (LDL), su compañera "mala". Esto hace que la sangre fluya libremente en los vasos sanguíneos, acción vital puesto que los ataques cardíacos se presentan cuando se bloquea el flujo sanguíneo hacia el corazón. Cuando la sangre no puede llegar al cerebro se presenta una trombosis cerebral. La enfermedad cardíaca es la asesina número uno de las mujeres estadounidenses. De hecho, los ataques cardíacos y las trombosis cerebrales acaban anualmente con la vida de más de un millón de mujeres en los Estados Unidos y en Europa.

Según las cifras que contiene la *"Actualización de las estadísticas sobre ataques cardíacos y cerebrales"*, publicada en 1998 por la American Heart Association, en términos de muertes cada año desde 1984 la enfermedad vascular coronaria (EVC) ha causado más muertes de mujeres que de hombres. Aunque el cáncer de seno representa el mayor temor de la mujer, sólo una de cada 26 mueren de cáncer de seno, mientras que las estadísticas muestran que una de cada dos mujeres muere debido a la enfermedad vascular coronaria.

30 ¿Qué otros estudios existen acerca de la mujer, la enfermedad cardíaca y los estrógenos?

Se están realizando numerosos estudios a gran escala en los Estados Unidos y en otros lugares del mundo. El primer estudio de gran cubrimiento que se ha concluido en los Estados Unidos es un ensayo clínico con más de 850 mujeres, patrocinado por los Institutos Nacionales de Salud y que costó $10 millones de dólares. Los resultados de la investigación denominada *Postmenopausal Estrogen-Progestin Intervention (PEPI)* (La intervención con estrógenos-progestágeno en la postmenopausia) fueron presentados en noviembre de 1994 en las sesiones científicas de la American Heart Association. En este estudio las mujeres se dividieron en cinco grupos. En el primero las mujeres tomaron estrógenos solos, el segundo grupo recibió estrógenos y progesterona micronizada oral, el tercer grupo recibió estrógenos con progestágeno sintético doce días al mes (el régimen más común de la terapia de suplencia hormonal), el cuarto grupo recibió estrógenos y progestágeno durante todos los días del mes y el quinto grupo, un placebo.

Es interesante notar que el mayor aumento de HDL, el colesterol "bueno", se produjo en las mujeres que tomaban únicamente estrógenos; en segundo lugar estaban aquéllas que tomaban la progesterona natural micronizada con estrógenos, que mostró mejores resultados para la mejoría de los niveles lipídicos que la administración de estrógenos y progestágeno sintético. El experimento conocido con la sigla PEPI también encontró que la terapia de suplencia hormonal baja los niveles del colesterol LDL y del fibrinógeno, factor coagulante de la sangre que también interviene en la trombosis y en el ataque cardíaco. El mencionado experimento también reveló que ninguno de los tratamientos prescritos en el ensayo aumentó la tensión arterial, ni las combinaciones de estrógenos y progestágeno dieron origen a una hiperplasia endometrial (crecimiento anormal del revestimiento interno del útero, condición potencialmente precancerosa).

¿Qué significa todo esto? Que a pesar de que ya se tienen algunas respuestas del estudio de las enfermeras y del PEPI, todavía hay vacíos en la información general relacionada con estrógenos y enfermedad cardíaca. Obtendremos muchas más respuestas cuando concluya el *Women's Health Initiative* promovido por los Institutos Nacionales de Salud, pues se espera, en un período total de trece años en los que se habrán estudiado 164.500 mujeres en los centros médicos de los Estados Unidos, llenar muchos de los vacíos. El problema es que posiblemente no veremos los resultados de este estudio hasta el año 2005 o más tarde. Si usted, como yo, quiere respuestas hoy, tiene que determinar, junto con su médico, los beneficios de los estrógenos frente a los riesgos y su posible protección cardiovascular.

31 ¿Los estrógenos me ayudarán a combatir el cansancio?

Muchos estudios muestran que los estrógenos producen un efecto tónico mental. Con esto quiero decir que mejoran el estado mental, hacen desaparecer la depresión y, como todos los buenos tónicos, levantan el ánimo. En este sentido podríamos considerar los estrógenos como antagonistas de la fatiga y hay muchas mujeres que afirman "sentirse bastante mejor" cuando están tomando estrógenos. Los estrógenos pueden también ponerle fin a los sudores nocturnos que perturban el sueño y además acabar con el insomnio. Incluso pueden desaparecer las palpitaciones, que siempre parecen empeorar durante la noche, con la terapia de sustitución estrogénica. Sin embargo, las mujeres con útero intacto, quienes deben tomar progesterona también, observarán que esa sensación de bienestar desaparece en el momento en que se añade la progesterona a su régimen. Vale la pena tener en cuenta que al cambiar el progestágeno sintético por la progesterona oral micronizada, con frecuencia el efecto tonificador continúa durante el mes.

No quiero complicar más las cosas, pero cuando se trata de discutir sobre el cansancio, debo mencionar el hipotiroidismo (que se discute en la respuesta 143 en el capítulo 13) y la terapia de sustitución de testosterona. La testosterona, o la llamada hormona masculina, es una gran enemiga de la fatiga. Digo la llamada, porque lo que no se discute tan frecuentemente como se debería es el hecho de que las mujeres producen testosterona y que también puede haber disminución de energía y de la libido cuando se pierde la testosterona junto con los estrógenos y la progesterona durante la menopausia. Las mujeres tienen entre un 12 y un 20% de la cantidad de testosterona que los hombres suelen tener, pero es precisamente ese poquito de testosterona el que potencia nuestra libido y puede contrarrestar la fatiga. De hecho, la testosterona es la hormona del deseo tanto para los hombres como para las mujeres; es la única hormona que nos produce interés por el sexo.

Los médicos han formulado desde finales de la década de 1960 un poquito de testosterona junto con un estrógeno a las mujeres que experimentan una pérdida de la libido. Esto a partir de la aparición de una tableta oral denominada Estratest (nombre con el que se conoce en Estados Unidos). El Estratest —parte estrógeno y parte testosterona— significa para muchas mujeres un resurgimiento de su decadente libido y una ayuda para corregir la fatiga. Desde hace poco se ofrece a la mujer la testosterona en forma de ampolleta inyectable (los efectos de cada aplicación suelen durar aproximadamente un mes) o por medio de un implante que se aplica subcutáneo en las nalgas (los efectos de cada aplicación duran aproximadamente tres meses). Estos dos métodos, por supuesto, exigen un seguimiento estricto del médico, pero son efectivos para quienes no responden al Estratest. Las mujeres entrevistadas en relación con la terapia de sustitución de la testosterona afirman que además de potenciar su libido, les ayudó a liberarse de los dolores de cabeza producto de la menopausia y eliminó en ellas la opresión del cansancio.

La mayoría de los médicos creen que las mujeres no deben tomar testosterona sin estrógenos. Como sucede con todo lo bueno, también aquí encontramos problemas. Los efectos secundarios de la terapia de sustitución de la testosterona pueden incluir hirsutismo (crecimiento excesivo de pelo en el rostro), acné, crecimiento o congestión del clítoris y engrosamiento de la voz. Por esta razón resulta imprescindible buscar siempre la orientación de un médico conocedor de la terapia de sustitución de testosterona para la mujer, pues a él le corresponderá establecer las dosis que usted necesita y la mantendrá en observación permanente mientras esté sometida a este tratamiento. En caso de presentar efectos secundarios tales como hirsutismo, acné o crecimiento del clítoris, tenga en cuenta que estas manifestaciones son reversibles y usted volverá a recuperar su normalidad cuando se disminuyan las dosis de la medicación o se suspenda totalmente. Los cambios de la voz no son reversibles. La mayoría de los médicos afirman que lo mejor es iniciar esta terapia muy lentamente, haciendo un seguimiento cuidadoso del proceso. De este modo usted puede obtener los beneficios sin experimentar los efectos secundarios.

32 ¿Ayudan los estrógenos a prevenir la enfermedad de Alzheimer?

Algunos estudios clínicos han producido información alentadora que muestra los efectos positivos de los estrógenos sobre la mente, el estado de ánimo y la memoria de las mujeres. Los efectos benéficos de los estrógenos sobre el funcionamiento de la mente han conducido a importantes estudios adicionales que indican que el uso de estrógenos reduce el riesgo de la enfermedad de Alzheimer o disminuye el progreso de la misma en forma considerable. Estudios anteriores realizados en la Universidad de California en una comunidad de retirados, en donde los investigadores revisaron las historias clínicas de cerca de nueve mil mujeres, encontraron que quienes estaban en tratamiento con estrógenos presentaban un riesgo 40% menor de desarrollar la enfermedad de Alzheimer u otras formas de demencia senil que aquéllas que no tomaban estrógenos. Muchos otros estudios han mostrado resultados similares. El doctor Stanley Birge, de la división geriátrica de la Escuela de Medicina de Washington University en St. Louis, ha realizado un trabajo muy importante que demuestra los efectos valiosos de los estrógenos sobre la memoria y la capacidad de raciocinio de quienes los toman.

La doctora Barbara Sherwin, profesora de psicología y de obstetricia y ginecología en McGill University, Montreal, ha demostrado claramente la presencia de receptores de estrógenos en el cerebro y el efecto de la falta de estrógenos en la mente, en el ánimo y la memoria. Un estudio de proporciones restringidas realizado en el Veteran's Administration Hospital, en Puget Sound, demostró que cuando se administran estrógenos a los pacientes con la enfermedad de Alzheimer se observa una mejoría en su memoria inmediata. Un estudio de observación practicado a 1.124 mujeres mayores en la ciudad de Nueva York, publicado en *Lancet* en 1996, sugiere que los estrógenos pueden reducir el riesgo de contraer la enfermedad de Alzheimer pues promueven el crecimiento de algunas neuronas y detienen la acumulación de sustancias amiloides en el cerebro. En el cerebro de pacientes con Alzheimer suele encontrarse un exceso de éstas.

¿Qué quiere decir esto? Como siempre, esto quiere decir que todavía falta mucho por investigar si queremos empezar a concebir esperanzas de hallar respuestas precisas y seguras. Es vital para usted comprender lo que es la enfermedad de Alzheimer y qué efectos tiene en el paciente. Esta enfermedad del sistema nervioso es ocasionada por la pérdida de células cerebrales. Destruye las neuronas del cerebro que están relacionadas con el conocimiento, en particular en el hipocampo, estructura ubicada en la parte profunda del cerebro y que juega un papel importante en la memoria, incluso en aquélla relacionada con la realización de tareas cotidianas. La enfermedad de Alzheimer también produce daño en la corteza cerebral, la capa exterior del cerebro responsable del lenguaje y de la capacidad de raciocinio. La única manera que tienen los médicos para corroborar el diagnóstico de la enfermedad de Alzheimer es estudiar el cerebro del paciente durante la autopsia del mismo. Éste invariablemente mostrará además de las placas seniles, engrosamiento de las neuronas con trayectos ondulados a modo de cestas, además de otras posibles anomalías físicas.

Esta enfermedad toma el nombre del patólogo alemán Alois Alzheimer, quien fuera el primero en identificarla a finales del siglo pasado. El Alzheimer destruye lenta e irreversiblemente la mente y el cuerpo del paciente. Los primeros síntomas de la enfermedad de Alzheimer son la incapacidad de aprender o recordar información, o de encontrar las palabras adecuadas para expresar una idea; quienes la padecen muestran inicialmente cierta desorientación que por último los lleva a perderse.

33 ¿Qué papel específico juegan los estrógenos en la prevención de la enfermedad de Alzheimer?

Las ocho mil mujeres que forman parte del *Women's Health Initiative Memory Study* nos ayudarán a identificar el papel, si es que lo tiene, de la terapia de sustitución estrogénica en la prevención de esta enfermedad que debilita y anula a la mujer. Los datos clínicos preliminares indican que la pérdida normal de estrógenos que la mujer experimenta después de la menopausia puede estar relacionada con la enfermedad de Alzheimer. Hay evidencias que indican también que la enfermedad posiblemente atacará menos a las mujeres que toman estrógenos después de la menopausia.

No se conoce el mecanismo exacto del posible efecto de los estrógenos en el desarrollo y progreso de la enfermedad de Alzheimer. Sin embargo, las investigaciones realizadas hasta el momento sugieren que los estrógenos trabajan al interior de las células nerviosas del cerebro (neuronas) para asegurar la producción de enzimas indispensables para conservar la conexión entre unas y otras. Específicamente se cree que los estrógenos hacen que las neuronas sean más sensibles al factor de crecimiento de los nervios, una proteína que juega un papel importante en el desarrollo de los axones y las dendritas, los cuales transmiten y reciben, respectivamente, los mensajes en las células nerviosas del cerebro. Las investigaciones también han mostrado que los estrógenos aumentan la producción de acetilcolina, uno de los químicos cerebrales que ayudan a la transmisión de impulsos nerviosos de una neurona a otra.

Se deben tener en cuenta algunos puntos al leer distintos informes relacionados con los estrógenos y la enfermedad de Alzheimer. En primer lugar, se sabe que la enfermedad de Alzheimer es causada, en parte, por un defecto genético, por tanto la herencia es un factor muy importante. La enfermedad de Alzheimer también ataca a las mujeres en una proporción de tres a uno respecto a los hombres. Es más común en individuos con más de ochenta y cinco años y es bien posible que las mujeres sean sus principales víctimas, simple y llanamente porque ellas viven más años que los hombres. Es importante también añadir a esta ecuación el hecho de que en la mayoría de estos estudios las mujeres más sanas y educadas hayan tomado la decisión de someterse a la terapia con estrógenos, por tanto no es posible establecer claramente hasta qué punto los estrógenos han contribuido a su bienestar.

De nuevo nos encontramos con que la *Women's Health Initiative* ha lanzado el primer estudio a gran escala relacionado con la enfermedad de Alzheimer en mujeres saludables. La Bowman Gray School of Medicine, en Winston-Salem, ha asumido el liderazgo en este empeño, que será llevado a cabo en cuarenta centros en distintos lugares de los Estados Unidos. Este estudio está encaminado a tratar de descubrir si la equilina (estrógenos equinos conjugados), eventualmente puede ser el eslabón que actúa en la estimulación y protección de las neuronas cerebrales. Si éste es el caso, las mujeres podrían tomar la equilina sin correr el riesgo de contraer cáncer uterino o de seno. En este caso tampoco esperamos resultados antes de una década.

Algunas mujeres con historia familiar de enfermedad de Alzheimer que harían todo lo posible por evitarla, se preguntan si la hierba china ginko biloba es efectiva y si les es posible tomarla al tiempo con los estrógenos. He tomado ginko biloba al tiempo con estrógenos desde hace años. No he tenido ningún problema. ¡Digamos que estoy tratando de protegerme al máximo! Durante miles de años los herbolarios chinos han usado las hojas del ginko para tratar los casos de pérdida de la memoria. En la actualidad, hay ciertas investigaciones en los Estados Unidos que sugieren la posibilidad de que las hojas de ginko puedan aminorar los síntomas de la enfermedad de Alzheimer. Según la *Enciclopedia de Medicina Natural,* de Michael Murray, N.D. y Joseph Pizzorno, N.D., se ha demostrado que el ginko biloba dilata las arterias, las venas y los capilares, incrementando de esta forma la circulación periférica y el flujo sanguíneo hacia el cerebro. Si en realidad sirve para todo eso, es posible que sirva para tratar las manifestaciones de la senilidad, la pérdida de la memoria inmediata y, ¿por qué no?, algunos otros problemas vasculares. Existen varias presentaciones farmacéuticas de esta hierba; consulte con su médico.

34 ¿Los estrógenos sirven para reducir el LDL o colesterol "malo"?

Algunos estudios muestran que los estrógenos, especialmente en su presentación oral, producen un impacto considerable sobre la relación HDL/LDL. Esto es bien importante puesto que el aumento de los niveles de colesterol bueno trabaja en el cuerpo para prevenir la formación de placas y coágulos que obstruyan las arterias, asegurando así un flujo libre de la sangre. Los estrógenos mantienen altos los niveles de colesterol bueno y bajos los del malo, lo que ayuda a protegernos contra la enfermedad coronaria.

35 ¿Los estrógenos ayudan a controlar la depresión?

La respuesta es sí en caso de que se refiera a la depresión menor, aquélla que puede producirse como síntoma de la menopausia. Pero es no, si usted se refiere a la depresión clínica. La depresión clínica es una condición debilitante y generalmente grave que puede y debe ser tratada médicamente, y que consiste en la manifestación de una desesperación profunda, tristeza, desesperanza o ira. Éste no es el caso de la melancolía postmenopáusica.

Como se menciona antes en este capítulo, los estrógenos son la "hormona del bienestar". Hormona que puede ayudar a controlar los cambios de estado de ánimo, el nerviosismo y ayudar a eliminar la ansiedad y los ataques de pánico. Muchos de estos síntomas son el resultado de subidas y bajadas intempestivas de las hormonas durante la menopausia, y ciertamente los estrógenos son luchadores de primera línea que nos ayudan a liberarnos de estas molestias.

Los estudios informan que solamente un 25% de las mujeres sufren de depresión menor durante la menopausia. Los resultados obtenidos de 25.000 cuestionarios que he distribuido me hacen pensar que ese número es bastante bajo, quizá porque las mujeres no consideran la ansiedad, el insomnio, la irritabilidad, los ataques de pánico, los cambios repentinos de estado de ánimo y un cierto nerviosismo general dentro de la categoría de depresión. Para las mujeres que presentan estos síntomas, los estrógenos pueden ser la respuesta.

La terapia de sustitución estrogénica puede levantar su ánimo puesto que uno de sus efectos es regular la producción de serotonina en el cerebro. La serotonina es el neurotransmisor que nos proporciona la sensación de bienestar. Sin embargo, para las mujeres que tienen su útero intacto el progestágeno que deben agregar a su terapia de suplencia hormonal, puede ser la hormona de la depresión. Según algunos estudios recientes las mujeres que toman progesterona micronizada en forma oral, en lugar del progestágeno sintético, suelen tener muchos menos problemas con la depresión menor.

36 ¿Los estrógenos me ayudarán a recuperar mi libido adormecida?

Los estrógenos lucharán para reanimar la libido solamente en la medida en que le proporcionan un efecto tonificador, levantando el ánimo y, quizá, logrando que usted se interese más en su actividad sexual precisamente porque se siente mejor. Los estrógenos también ayudan a lubricar el tracto vaginal, compensando así el adelgazamiento y la resequedad que pueden presentarse después de la menopausia cuando ya no circulan los estrógenos naturales. Al producir este efecto eliminan el posible dolor producido por la relación sexual, lo que puede estar lastimando su libido. La hormona del deseo es la testosterona. Si su problema es una libido adormecida, consulte con su médico la posibilidad de añadir una pizca de testosterona a su cocktail de hormonas. Muchas mujeres me han contado que al haber añadido ese poquito de testosterona a su tratamiento, su apetito, actividad y satisfacción sexuales han mejorado considerablemente (vea la respuesta a la pregunta 31 en relación con los efectos secundarios).

37 ¿Mi memoria inmediata mejorará si tomo estrógenos?

La pérdida de la memoria inmediata es una preocupación grande para muchas mujeres. ¿Por qué nunca me acuerdo en dónde dejo las gafas de sol, ni las llaves del carro? ¿Por qué pierdo el hilo en medio de una oración? ¿Cerré la puerta del garaje antes de partir? ¿Apagué el horno? ¿Por qué estoy en el supermercado ahora, qué era lo que venía a comprar? ¿Me estoy haciendo vieja?

En realidad asusta comprobar que empezamos a experimentar esos olvidos, éste es un temor comprensible. La baja producción de hormonas en la menopausia puede ser la culpable de los pequeños lapsos. Antes de la menopausia, los estrógenos actúan a nivel de las sinapsis y las dendritas del sistema nervioso para facilitar una rápida neurotransmisión. Así pues, antes de perder los estrógenos hay una gran facilidad para recordar y para aprender y retener información nueva. Los pocos estudios que se han realizado muestran que la terapia de sustitución estrogénica y la terapia de suplencia hormonal marcan una clara diferencia, puesto que con frecuencia hacen que la mujer recupere la memoria inmediata que tenía antes de la menopausia. La doctora Barbara Sherwin, una eminente investigadora sobre menopausia, anota que las mujeres evidencian durante el ciclo menstrual un desempeño fluctuante de la memoria inmediata. Esto quizá se debe a que los estrógenos son activadores del sistema nervioso central, mientras que la progesterona puede deprimirlo.

Debemos recordar algunos factores adicionales. A medida que envejecemos, tanto los hombres como las mujeres podemos experimentar diversos niveles de pérdida de la memoria. El estrés puede exacerbar este proceso, dar origen a olvidos frecuentes y embotar la mente. La mujer de edad media está generalmente sometida a un alto grado de estrés que no tiene nada que ver con la menopausia. Con frecuencia tenemos que sufrir el síndrome del nido vacío, enfrentar la enfermedad o muerte de los padres o del cónyuge, o ayudar a nuestros hijos a solucionar sus problemas maritales o de trabajo.

Pero, vamos al grano. ¿Ayudan los estrógenos a recuperar la memoria inmediata? Depende de otros factores que puedan estar afectando su vida. En mi opinión creo que ayudan muchísimo y algunos estudios importantes apoyan esta afirmación. Pero según otras investigaciones una vez superado el climaterio, que corresponde a los años alrededor de la menopausia, la memoria con frecuencia vuelve a su estado original. Obviamente, todavía falta realizar muchas investigaciones al respecto. Quizá la investigación en la que está comprometida la *Women's Health Initiative,* mencionada en la respuesta a la pregunta 33, ayudará a llenar los vacíos existentes.

38 ¿Qué efectos producen los estrógenos sobre la osteoartritis?

Muchos estudios realizados en los últimos años demuestran los efectos positivos de los estrógenos contra la osteoartritis. La investigación más significativa parece ser el estudio realizado con más de cuatrocientas mujeres caucásicas por encima de los cuarenta y cinco años. Los resultados de la misma fueron publicados en *Archives of Internal Medicine,* en 1996, y muestran que las mujeres que toman estrógenos presentan la incidencia más baja de osteoartritis. Esta enfermedad afecta a aproximadamente diez y seis millones de estadounidenses tanto hombres como mujeres y sus efectos van desde simples molestias hasta impedimentos limitantes. Es totalmente diferente a la osteoporosis. La artritis es una enfermedad de las articulaciones y la osteoporosis es una enfermedad de los huesos. La forma más común de la artritis es la osteoartritis, la cual consiste en un crecimiento o engrosamiento de los huesos de las articulaciones. La osteoartritis más común es la que ataca las articulaciones de los dedos, pero es más seria cuando afecta las articulaciones de la rodilla y la cadera.

Las personas con osteoartritis por lo general presentan una complexión totalmente diferente a la de las personas con osteoporosis. Las que sufren de osteoartritis tienden a ser más grandes tanto en masa muscular como en peso. El crecimiento osteoartrítico es generalmente duro y grueso, por eso las personas con osteoartritis de cadera raramente sufren de fractura de ésta. Por otra parte, las personas con osteoporosis por lo general son más pequeñas, pueden estar encorvadas y al estudiar sus huesos se encuentra que éstos son frágiles y porosos. Las fracturas de cadera son comunes en las personas con osteoporosis. Quienes sufren cualquiera de las dos enfermedades deben consumir dosis apropiadas de calcio y hacer ejercicio con regularidad.

Además está la artritis reumatoidea, enfermedad que tiende a producir incluso la invalidez del paciente. A diferencia de quienes padecen osteoartritis, las personas que sufren artritis reumatoidea presentan a menudo serios problemas de osteoporosis. Con frecuencia son sedentarios puesto que el dolor en las articulaciones les impide el movimiento; también frecuentemente tienen menos calcio circulando en su sistema sanguíneo y a menudo deben tomar medicamentos de la familia de los corticoides que tienden a bloquear la absorción del calcio por parte de sus huesos. Presentan una marcada tendencia a sufrir fracturas de cadera y de otros huesos del cuerpo. La artritis reumatoidea se diagnostica por medio de un análisis de sangre.

Como siempre, se requiren más estudios para saber si los estrógenos previenen la osteoartritis, pero los primeros estudios ofrecen resultados promisorios.

39 ¿Los estrógenos me protegen del cáncer de colon?

El cáncer de colon ocupa el tercer lugar después del cáncer de pulmones y de seno, entre los más frecuentes en la mujer. Algunos estudios han mostrado que las mujeres que están tomando estrógenos presentan una menor incidencia de cáncer de colon. De hecho, estudios de observación realizados recientemente informan que los estrógenos redujeron en un 50 % el riesgo de contraer cáncer de colon en las mujeres. Un estudio de la American Cancer Society (ACS) concuerda con los hallazgos de muchas otras investigaciones más pequeñas ya que encontró que la terapia de sustitución estrogénica aparentemente disminuye el riesgo de cáncer de colon fatal en las mujeres postmenopáusicas. El estudio de la American Cancer Society reveló que las mujeres que están tomando estrógenos muestran una reducción del 45 % de este riesgo. La reducción del riesgo incrementó en un 10 % en las mujeres que habían tomado estrógenos durante diez años o más. Con esto tenemos una reducción total del riesgo del 55 %. A la inversa, la reducción del riesgo prácticamente llegó a 19% en mujeres que tomaron estrógenos pero los dejaron.

Se ha escrito mucho acerca de lo que se denomina el "efecto de la mujer saludable", que quiere decir que las mujeres que toman hormonas son más saludables, posiblemente contraen menos enfermedades y son sometidas a una mayor cantidad de exámenes de escrutinio, entre ellos las pruebas de escrutinio de cáncer de colon. Es posible que el efecto de la mujer saludable sea similar al efecto placebo, que consiste en que si usted "cree" que por estar tomando una medicación se siente mejor, en efecto se sentirá mejor. Pero que el riesgo disminuya en un 50% o más ya es un indicador de algunos de los beneficios producidos por los estrógenos. Ésta es un área que está exigiendo que se realicen más investigaciones. Las investigaciones actuales han mostrado que los estrógenos pueden reducir los ácidos biliares en el colon, los cuales pueden ser causantes de la formación de tumores, pero todavía hay necesidad de investigar mucho más en este campo.

Se cree que el cáncer de colon se origina en el revestimiento del intestino delgado a partir de crecimientos denominados pólipos, que posteriormente crecen hasta alcanzar un tamaño que produce obstrucción intestinal o sangrado, o los dos a la vez. La herencia es el mayor factor de riesgo de cáncer de colon, seguida por la obesidad, el estreñimiento y una dieta rica en carnes rojas. Una dieta con mucha fibra —frutas, vegetales y granos enteros— puede disminuir el riesgo de cáncer de colon.

40 ¿Puedo salvar mi dentadura si tomo estrógenos?

Hay una estrecha relación entre la pérdida de los dientes y la osteoporosis. De hecho, la primera manifestación de la osteoporosis puede presentarse en la boca. Su odontólogo puede ser el primero en observar un cambio en la salud de los huesos, caracterizado por un cambio en la fortaleza y densidad de los huesos de la mandíbula, que son los que sostienen los dientes. La piorrea puede ser también un síntoma inicial de osteoporosis, así como problemas en las encías, o cualquiera de los otros problemas denominados "enfermedades periodontales". Si sus dientes parecen empezar a moverse aunque sea muy poco, lo más aconsejable es que se someta a una prueba de densidad ósea.

Los problemas de las encías y los dientes no están necesariamente relacionados con una osteoporosis, pero deben someterse a chequeo lo más pronto posible. Los problemas periodontales son más comunes en las mujeres que en los hombres y esto podría permitirnos concluir que la falta de estrógenos después de la menopausia produce un efecto negativo sobre la salud de los huesos en todo el cuerpo, incluso en la mandíbula.

41 ¿Podré controlar la incontinencia de esfuerzo y otros problemas de la vejiga con los estrógenos?

La vejiga suele reaccionar en forma negativa a la falta de estrógenos después de la menopausia. Los problemas más comunes son las infecciones del tracto urinario, los cambios en la necesidad y la frecuencia para orinar e incontinencia de esfuerzo. "Entre los problemas de salud de mayor incidencia femenina, las infecciones vaginales son las que reciben un trato menos adecuado", dijo el Dr. Edward Hook III, profesor de medicina en la Universidad de Alabama. Las infecciones vaginales con frecuencia dan origen a infecciones del tracto urinario y a problemas en la vejiga. Muchas mujeres encuentran la respuesta a estos problemas en los estrógenos.

También es posible que se presenten infecciones en el tracto urinario debido a que los tejidos de la vejiga y de la uretra se han adelgazado y perdido elasticidad, lo que los hace más susceptibles a irritaciones e infecciones. Ya que las infecciones repetidas pueden afectar los riñones y la vejiga, lo más aconsejable es buscar ayuda médica de inmediato.

La necesidad permanente de orinar puede convertirse en una molestia grande. Una mujer me dijo hace poco: "Acostumbro a entrar al baño cada vez que paso frente a uno, puesto que si no lo hago sé que pronto lo lamentaré y quizá termine mojada". La urgencia es otro problema; con frecuencia la necesidad de orinar es tan fuerte que a usted le preocupa no llegar a un baño a tiempo.

La incontinencia de esfuerzo es para muchas mujeres "la peor de todas". Se caracteriza por un goteo pequeño —o mayor— cuando estornuda, tose, ríe, corre o hace cualquier esfuerzo. Los ejercicios de Kegel son muy útiles para corregir la incontinencia de esfuerzo, pero la terapia de sustitución estrogénica ayuda a solucionar todos los problemas vesicales antes mencionados cuando su origen es la falta de estrógenos. ¿Se acuerda de los receptores de estrógenos en las células que describimos antes? Bueno, pues hay de esos receptores en la vejiga y el tracto urinario, por tanto, tiene sentido alimentarlos de nuevo con estrógenos.

Cuando se trata de los problemas de frecuencia y urgencia, las mujeres que no han tomado la ruta de los estrógenos o que, en opinión de su médico, no deben tomar estrógenos porque están contraindicados para ellas, desarrollan rutinas como orinar a intervalos regulares. Por ejemplo, una mujer me contó que nunca deja pasar una hora entera sin orinar.

Si el problema es la incontinencia de esfuerzo, los ejercicios de Kegel son muy útiles para el control vesical. Éstos también fortalecen y tonifican el área vaginal, lo que puede contribuir a intensificar el placer sexual. Estos ejercicios, así denominados en honor al doctor Arnold Kegel, cirujano de la UCLA, quien los desarrolló en la década de 1950, son muy fáciles y pueden hacerse en cualquier lugar sin que se plantee ningún tipo de competencia con otras personas. Hay dos maneras de hacer los ejercicios de Kegel. El primer método consiste en contraer los músculos vaginales como si estuviese tratando de contener la orina. Manténgalos contraídos contando hasta cinco, luego relájese mientras cuenta hasta cinco también, y repita la secuencia veinte veces. El método dos, que parece funcionar mejor para muchas mujeres, es contraer y soltar los músculos vaginales en una rápida sucesión. Repita veinte veces también. Las mujeres con frecuencia intercalan los ejercicios alternando los dos métodos. Realizar estos ejercicios al menos diez veces al día puede producir resultados sorprendentes. Estos ejercicios no sólo le ayudan con el control de su vejiga sino que también permiten un buen funcionamiento de los órganos de la pelvis para toda la vida. ¡Un esfuerzo pequeño por el que recibe una gran recompensa!

42 ¿Si tomo estrógenos viviré más tiempo?

¿Cómo saberlo? Si todos los beneficios de los estrógenos antes mencionados son verdaderos, y lo son para usted, es posible que viva más tiempo. Sin embargo, para muchas mujeres los estrógenos son una opción que les permite llevar una vida más agradable. Los estrógenos tonifican la mente, el estado de ánimo y la memoria. Revitalizan la piel y ayudan a controlar la vejiga; hacen más placentera la relación sexual; ayudan a prevenir o a tratar la osteoporosis; es posible que protejan contra la enfermedad cardíaca, el ataque cerebral y el cáncer de recto y de colon; y, además, pueden protegernos de la enfermedad de Alzheimer, de la osteoartritis y de otras incomodidades.

Al tomar su decisión debe tener en cuenta los riesgos que puede acarrear la terapia de sustitución estrogénica. Por lo tanto, la invito a seguir leyendo pues los abordaremos en el capítulo 4.

4

¿CUÁLES SON LOS RIESGOS DE LA TERAPIA DE SUSTITUCIÓN ESTROGÉNICA?

Las mujeres suelen conversar entre sí y muchas me han dicho que el mejor consejo y apoyo lo reciben de sus amigas y conocidas, pues todas ellas quieren compartir sus experiencias en relación con la menopausia. Ya lo dijimos antes: la menopausia es universal. Pero el proceso de cada mujer es único y para tomar una decisión en relación con los estrógenos se deben tener en cuenta la historia personal, la historia familiar y la mitad de toda una vida de temores, preocupaciones y muchos otros elementos que le pertenecen solamente a usted.

Es importante que los médicos sean conscientes de que cada mujer tomará su propia decisión y que no debe hacerlo bajo ninguna presión, amenaza o engaño. Tampoco necesita de una protección especial. Ella será quien decida.

Con el fin de tomar la decisión debe comprender claramente cuáles son los riesgos y los beneficios de los estrógenos. Debe poder plantearle preguntas a su médico y tiene el derecho a recibir respuestas claras y comprensibles, así como animarse a plantear sus temores. Necesita saber exactamente por qué el médico considera que los estrógenos la benefician o la perjudican, no importa cuál sea la situación.

¿Es cierto que una de las mayores dificultades que los médicos enfrentan es la falta de disposición de sus pacientes a seguir sus instrucciones? Resulta sorprendente que la mayoría de las prescripciones de estrógenos que dan los médicos no son seguidas por sus pacientes. ¿Es cierto que las mujeres que sí siguen la prescripción de la terapia de sustitución estrogénica lo hacen exclusivamente durante un período de nueve meses o menos?

Hay riesgos que las mujeres deben conocer para poder asumirlos con tranquilidad cuando empiezan a tomar estrógenos. Deben evaluar en forma cuidadosa los riesgos frente a los beneficios para tomar una decisión.

Al considerar los riesgos es importante recordar que los primeros informes negativos acerca de la estrogenoterapia surgieron alrededor del año 1976. En ese momento algunos estudios demostraron una relación entre la terapia de sustitución estrogénica y el cáncer del endometrio (cáncer del revestimiento del útero) en mujeres postmenopáusicas. Desde entonces se ha librado una batalla ardua para nosotras en medio de la cual intentamos superar nuestras pesadillas frente a la decisión de tomar estrógenos, incluso estando conscientes de los problemas que pueden ocasionarnos más tarde. Este temor está siempre rondando alrededor de muchos estudios que muestran beneficio tras beneficio de la terapia con estrógenos. Nadie debe desestimar sus temores. Debemos enfrentarlos. Por tanto, abordemos en primer lugar la pregunta más dura y desconcertante.

43 ¿Los estrógenos producen cáncer?

Se sabe que el estradiol es la forma más potente de estrógenos que hay en el cuerpo. También se sabe que cuando hay demasiado estradiol en el cuerpo o está allí demasiado tiempo, puede dar origen a problemas. Usted recordará que cuando se utilizaron los estrógenos solo en los años que siguieron a la publicación del libro del doctor Wilson, se reportaron casos de cáncer uterino y los médicos dejaron de prescribir estrógenos. Así, durante cierto tiempo no hubo mucha demanda de estrógenos hasta que se llegó a determinar que combinándolo con progestágeno se protegería el útero, permitiendo a la vez que el cuerpo se beneficiara de los estrógenos. Las investigaciones ya habían sugerido que si no se contrarrestaba el estrógeno con la progestágeno, el primero podía ser cancerígeno para tejidos sensibles a los estrógenos como los del útero.

Se sabe que las mujeres deben usar con cautela los estrógenos, sobre todo si tienen una clara historia de cáncer de endometrio o cáncer de seno estrógeno-dependiente. Es importante anotar que en ambos casos los estrógenos no son causantes del cáncer. En términos del cáncer endometrial, los estrógenos, si no se usan en combinación con alguna forma de progesterona, pueden producir la proliferación del revestimiento interno del útero (el endometrio), causando hiperplasia endometrial, una condición precancerosa.

44 ¿Acaso el cáncer de seno no es la principal preocupación de la mujer?

En efecto, el cáncer de seno es el tema más angustiante que se les plantea a las mujeres, especialmente si se tiene en cuenta que aproximadamente una de cada nueve mujeres podrán, en algún momento de su vida, desarrollar cáncer de seno. Estas estadísticas son tan asustadoras que algunas de ellas, cuando se encuentran en un auditorio lleno de mujeres, tienen la tentación de empezar a contar en la fila: "Una, dos, tres, cuatro — Dios mío, ¡no me dejes ser la novena!" Podría decirse que éste es un miedo irracional, pero no hay remedio. Allí está y tenemos que enfrentar la situación racionalmente sin escudarnos en argumentos mentirosos. Necesitamos hechos obtenidos a partir de estudios significativos que no hayan sido manipulados y alterados para satisfacer el punto de vista o argumento de un determinado experto.

Un informe publicado en 1997 sobre una investigación realizada con más de mil mujeres entre los cuarenta y cinco y los sesenta y cuatro años, por el National Council on the Aging (NCAO) (Consejo Nacional sobre el Envejecimiento), denominado "Myths and Misperceptions About Aging and Women's Health" (Mitos y errores sobre el envejecimiento y la salud de la mujer), reveló que las mujeres están mal informadas sobre los riesgos de sufrir ciertas enfermedades relacionadas con la edad, como son la enfermedad cardíaca y el cáncer. A la pregunta de cuál era la enfermedad a la que más temían, 61 % de las mujeres respondió: el cáncer. Sólo un 9 % dijo el ataque cardíaco, aunque éste es el asesino número uno de las mujeres. Además, las mujeres interrogadas no sabían que desde 1987 el cáncer de pulmón ha cobrado más vidas de mujeres que el cáncer de seno. La confusión puede ser mortal porque debido a ésta las mujeres pueden no tomar las decisiones apropiadas en relación con su salud postmenopáusica.

Para ahondar en el tema de la desinformación, hago mención de un estudio de caso realizado por Vicent T. Covello, Ph.D., director del Center for Risk Communications (Centro de Comunicación de Riesgos) en Nueva York, diseñado para determinar cuáles son las percepciones de la mujer en cuanto a los riesgos de enfermedades relacionadas con la edad, incluyendo el cáncer de seno. En este estudio se encontró que la mayoría de las mujeres investigadas estaban equivocadas al creer que las estadísticas de vida sobre el riesgo de contraer enfermedades como el cáncer de seno aplicaban a los grupos de edades a los que ellas pertenecían. Una de las consecuencias de esta idea, hablando del cáncer de seno, es que el temor de la enfermedad puede hacer que una determinada mujer tienda a descuidar o a ignorar totalmente terapias tan importantes como la terapia de suplencia hormonal y la terapia de sustitución estrogénica.

La verdad es que una de cada nueve mujeres en el transcurso de su vida se encuentra en ese nivel de riesgo. A los cincuenta y un años, edad promedio para la menopausia, la proporción es de una entre cincuenta. De hecho, las informaciones en relación con los estrógenos y el cáncer de seno son bastante claras. En general, las mujeres que han sufrido de cáncer de seno dependiente de estrógenos no serán tratadas con estrógenos. (Digo en general, porque al recorrer el país y abordar el tema con distintos médicos, he podido observar que hay ocasiones en las que se prescriben los estrógenos, pero bajo estricto cuidado médico, a mujeres que han padecido de cáncer de seno en el pasado, pero que presentan síntomas menopáusicos tan fuertes e incapacitantes que tienen dificultades para llevar una vida normal.)

Es importante saber que los estrógenos no producen cáncer ni es un cancerígeno, pero sí puede estimular el crecimiento de un cáncer que ya está en incubación. Hay dos principales preocupaciones médicas al respecto. Una es el temor de exponer a riesgo a una paciente con una bien definida historia familiar de cáncer de seno, y la otra es preocuparse porque los estrógenos puedan ocasionar una recurrencia en una mujer que ya haya padecido cáncer de seno.

45 ¿Todos los cánceres de seno son estrógeno-dependientes?

No, aunque las mujeres lo ignoren o no sean conscientes de ello. No debe sorprendernos que algunos estudios muestren que el cáncer de seno estrógeno-dependiente sea más común en mujeres jóvenes, que todavía están en edad reproductiva, y muy poco común en mujeres que han pasado la menopausia muchos años atrás. El cáncer de seno que no es estrógeno-dependiente es más común entre mujeres postmenopáusicas. Hay análisis que permiten establecer si un cáncer de seno es o no estrógeno-dependiente.

Pero, ¿qué pasa conmigo y con las mujeres como yo que no hemos tenido cáncer de seno ni tenemos la enfermedad en nuestra familia? Se me ha dicho que tampoco estamos totalmente exentas de riesgo. Una investigación muestra que el riesgo aumenta muchísimo entre mujeres que toman estrógenos y están entre los sesenta y los sesenta y seis años de edad. Otras investigaciones señalan la exposición a determinados pesticidas como la culpable del cáncer de seno, puesto que cuando estos pesticidas entran al cuerpo y se alojan en él imitan la acción de los estrógenos. Pero otro estudio presentado por investigadores de Harvard en la edición del 19 de septiembre de 1997 del *Journal of the National Cancer Institute,* acerca de diferencias regionales en lo tocante al cáncer de seno, niegan la anterior información. Hay muchos estudios que no muestran ningún aumento de riesgo de cáncer de seno en las mujeres sometidas a estrogenoterapia, pero hay otros que muestran una correlación entre uno y otra.

Sin embargo, tomando en cuenta todos los factores, las estadísticas parecen sugerir, y muchos expertos lo creen, que la administración de estrógenos por un corto período de tiempo no aumenta el riesgo de cáncer de seno. Hace algunos años, en una reunión de la Sociedad Internacional de Menopausia en Estocolmo, el consenso parecía ser que las mujeres podían tomar estrógenos sin correr peligro alguno durante un período comprendido entre diez y quince años, después del cual el riesgo de cáncer de seno aumentaba de 20 a 30%.

46 ¿Cómo puedo discernir finalmente este angustiante tema de los estrógenos y el cáncer de seno?

Tenemos que poner las cosas en perspectiva. En primer lugar, hay ciertos factores de riesgo que se deben tener en cuenta: una menarquia prematura, una menopausia tardía y no haber estado nunca en embarazo. Éstos son considerados como posibles factores de riesgo porque determinan un período largo e ininterrumpido de tiempo durante el cual el cuerpo estuvo expuesto a sus propios estrógenos. Hay también factores de riesgo producto del estilo de vida, como una dieta alta en grasas y un consumo diario de más de una onza de alcohol, cuatro onzas de vino o doce onzas de cerveza, todos los cuales deben incluirse en la ecuación, ya que han demostrado aumentar el riesgo. Un estudio que incluyó a más de 300.000 mujeres demostró que entre las mujeres que bebían en promedio menos de un trago al día, el riesgo de cáncer de seno era 9 % mayor que el de las abstemias. Entre aquéllas que decían beberse entre dos y cinco tragos al día, el riesgo de cáncer de seno aumentó en un 41 %.

Las actividades que realice y ciertos patrones de su estilo de vida deben ser incluidos en su ecuación personal. ¿Se practica el auto examen de seno una vez al mes? ¿Va a donde el médico al menos una vez al año y éste le practica un examen manual durante la consulta? ¿Se somete a una mamografía anual? Todos éstos son métodos que han demostrado su eficacia para detectar el cáncer de seno. Este cáncer, cuando se hace un diagnóstico temprano, es a menudo curable. También hay otro punto de gran importancia para añadir a su ecuación personal: si, por ejemplo, hay un cáncer estrógeno-dependiente creciendo lenta y silenciosamente en su seno y el tratamiento con estrógenos acelera su crecimiento y permite su identificación más pronto, con lo cual tiene la posibilidad de someterse a una cirugía para removerlo a tiempo, ¿no sería esto mejor en últimas? Ésta es en verdad una pregunta crucial cuando se trata de la relación estrógenos y cáncer de seno. Piénselo bien.

47 ¿Qué resultados nos ofrecen los estudios realizados en relación con un riesgo más elevado de cáncer de seno debido a la terapia con estrógenos?

Los estudios y metanálisis (es decir, el estudio de un grupo de estudios) todos muestran algunas discrepancias en este punto. Hasta ahora las investigaciones no nos han dado respuestas definitivas ni nos brindan rutas claras. Lo que no indica que el uso de la dosis apropiada de estrógenos haya aumentado el riesgo o añadido algunas cifras al número de cánceres de seno en los Estados Unidos. Sin embargo, hay estudios que indican que algunas de las mujeres que han tomado estrógenos por largos períodos de la vida muestran un pequeño incremento del riesgo de cáncer de seno. En su libro *Menopausia*, el doctor Isaac Shiff afirma que algunas mujeres postmenopáusicas mayores de cincuenta años que han estado sometidas a la terapia de sustitución estrogénica por períodos comprendidos entre siete y diez años presentan un claro riesgo de cáncer de seno, si se comparan los datos con los de mujeres que no se han sometido a la terapia de sustitución estrogénica ni a la terapia de suplencia hormonal.

Las investigaciones muestran que los estrógenos, con el paso del tiempo, pueden afectar negativamente el tejido del seno en algunas mujeres. La dosis de estrógenos junto con el período durante el cual se tomen parecen modificar el riesgo. También es importante determinar a qué tipo de terapia está sometida: si a la de sustitución estrogénica o a la de suplencia hormonal. El hecho que tiende a confundirnos es que la American Cancer Society informa que la incidencia de cáncer de seno en Estados Unidos ha cortado su ritmo ascendente desde 1987, a pesar de que el número de mujeres sometidas a TSE y TSH ha aumentado. Hasta el momento, la relación estrógenos-mayor riesgo de cáncer de seno no ha sido claramente definida, pero ahí está. De manera que la decisión está totalmente en manos de la mujer y debe tomarse teniendo en cuenta todos los factores de riesgo — antecedentes familiares y personales, presencia de síntomas, estilo de vida. También deben entrar en juego los temores y preocupaciones de cada una.

Hay un defecto genético en los genes conocido como BRCA1 y BRCA2 que debe tenerse en cuenta. Tres estudios publicados en el *New England Journal of Medicine (NEJM)*, en mayo de 1997, son un aporte interesante para clarificar la situación, pero se anota que estos genes estropeados no son los únicos culpables del riesgo de un cáncer de seno. Una mutación genética no asegura la presencia de un cáncer. Un estudio realizado previamente y publicado también en el *New England Journal of Medicine (NEJM)*, el 17 de abril de 1997, reforzó el escrutinio limitado de mujeres con riesgo elevado, debido a que no queda claro si la identificación de los genes BRCA1 y BRCA2 las beneficia en algo.

Resulta claro que las mujeres deben continuar practicándose un correcto autoexamen de seno, y también deben visitar a su médico al menos una vez al año para que éste les practique un examen manual del seno. Adicionalmente, deben someterse a mamografías con cierta regularidad. Un estudio publicado en *Cancer*, el 15 de agosto de 1997, sugiere que las mujeres se practiquen el autoexamen mensualmente y se sometan a la mamografía anual inmediatamente después de un período menstrual.

Todavía no hay un acuerdo sobre cuándo deben empezar las mujeres a practicarse las mamografías. El panel de consenso de los Institutos Nacionales de Salud de Estados Unidos recomienda que sean las mujeres quienes tomen su propia decisión. Así pues, la ácida discusión entre quienes afirman que deben empezar a los cuarenta años o solamente a los cincuenta continúa en un punto muerto. De acuerdo con el *Journal of the National Cancer Institute*, del 16 de abril de 1997, Estados Unidos no es el único país que recomienda la mamografía a las mujeres entre los cuarenta y los cuarenta y nueve años, pero también es cierto que sus compañeros en el mapa mundial no son demasiados. De los veintiún países tenidos en cuenta para el International Breast Cancer Screening Database Council, solamente Islandia, Suecia y una provincia del Canadá también recomiendan que las mujeres se sometan a la mamografía desde los cuarenta años.

48 ¿Es posible que una mujer postmenopáusica que está sometiéndose a la terapia de sustitución estrogénica quede en embarazo?

Por lo general no. Esta terapia se prescribe cuando ya los ovarios se han quedado sin óvulos y los estrógenos que producen han disminuido hasta desaparecer totalmente. Así pues, si no hay óvulos, no hay embarazo. Pero ¿qué pasa si, por ejemplo, una mujer no ha tenido el período durante cuatro o cinco meses y cree que ya está fuera de peligro, pero entonces sus ovarios se activan de nuevo, producen un óvulo y éste se encuentra con el espermatozoide que viene a su encuentro posibilitando así la concepción? Ocurre el embarazo.

Por esto, hasta hace muy poco los médicos sugerían que las mujeres que estuvieran planificando con píldoras anticonceptivas debían suspenderlas a los cuarenta y cinco años y pasarse a otro método anticonceptivo. Además de esto se les recomendaba esperar a pasar un año completo sin ninguna menstruación antes de creerse totalmente "seguras". Otro factor importante es tener en cuenta que los análisis de sangre para determinar la concentración sérica de estradiol y de FSH no son indicadores confiables de que la producción de estrógenos ha disminuido si la mujer está tomando anticonceptivos orales, los que, evidentemente, contienen estrógenos, hasta que se pasa a la TSE o a la TSH. En la actualidad muchos médicos afirman que las mujeres pueden pasar de la perimenopausia a la menopausia libres de síntomas tomando anticonceptivos orales de dosis bajas, los que también contienen estrógenos. Esto también parece estupendo.

Un embarazo sorpresa no siempre se presenta, pero puede darse. Por tanto, sería buena idea utilizar anticonceptivos al menos durante un año completo después de haber experimentado el que usted considera su último período.

49 Tengo un fibroma en el útero. ¿Puedo tomar estrógenos?

Muchas mujeres con fibromatosis desean saber si podrían considerar la posibilidad de tomar estrógenos. Hasta hace algún tiempo la respuesta médica a esa pregunta era un NO generalizado, pero las nuevas presentaciones de estrógenos en bajas dosis pueden transformar esta respuesta en un "tal vez, ensayemos" en algunas mujeres. Aunque la respuesta a las preguntas relacionadas con los fibromas es con frecuencia un enigma, para muchas mujeres la situación es la siguiente: Una mujer, llamémosla Alejandra, tenía un fibroma grande y sensible a los estrógenos. Cuando éste le planteó problemas, incluyendo dolor, su médico le sugirió repetidamente someterse a una histerectomía, es decir, a la extracción del útero y por tanto del tumor que le estaba ocasionando problemas. La única alternativa distinta que le podía ofrecer era esperar hasta la menopausia, cuando el tumor, al dejar de ser alimentado por el estrógeno, sin duda alguna reduciría su tamaño. Alejandra escogió la segunda alternativa y decidió soportar las incomodidades que le producía el tumor. Su proceso menopáusico se inició ocasionándole enormes incomodidades. Se sentía acalorada, no podía dormir, y tenía una sensación desagradable, según su propia descripción.

Cuando decidió esperar, no había pensado que los síntomas de la menopausia la fueran a golpear hasta llegar al punto de deteriorar sensiblemente su calidad de vida. Volvió a consulta con su médico. De nuevo le ofreció la solución de una histerectomía. "De ningún modo", respondió ella. "No he soportado todo este tiempo para someterme a la cirugía ahora". Alejandra pensó que valdría la pena una opinión adicional, y por tanto fue a consultar con otro ginecólogo.

Después de revisar su larga historia, su nuevo médico le dijo que había ocasiones en las que con una dosis pequeña de estrógenos y un seguimiento cuidadoso del proceso se podía prescribir una terapia de sustitución a corto plazo a las mujeres con fibromatosis. Alejandra se sintió enormemente complacida y ya lleva un año de tratamiento con estrógenos. Los síntomas de la menopausia han desaparecido y, vale la pena anotar que los estrógenos no han estimulado el crecimiento del tumor. No necesariamente ésta es la respuesta en todos los casos, pero es importante que usted la conozca, en caso de que presente una situación similar, para que se sienta libre de consultar con su médico las posibilidades de una terapia con estrógenos. Una investigación bastante interesante evidenció que las mujeres que están sometiéndose a terapia con estrógenos transdérmicos (parches) más progestágeno, presentaron un aumento en el crecimiento de los fibromas; mientras que no así sucedió con las que toman estrógenos más progestágeno en tabletas. Muchas de las contraindicaciones de los estrógenos han cambiado gracias a las investigaciones realizadas últimamente, de la misma forma que disponemos ahora de respuestas nuevas para algunas de las preguntas viejas.

Estas preguntas necesitan respuestas particularmente si tenemos en cuenta que los fibromas, crecimientos exagerados del útero, son problemas muy comunes. Cerca de un tercio de las mujeres ya los presentan para el momento de la menopausia. En la mayoría de los casos pueden ignorarse a menos, claro está, de que ocasionen problemas tales como sangrado fuerte y otros síntomas como problemas digestivos y de la vejiga, debido al tamaño del útero. Hay un procedimiento quirúrgico bastante reciente denominado miomectomía, por medio del cual se hace la resección de los fibromas a través de la vagina o de una incisión abdominal, dejando el útero intacto. Este procedimiento puede aplicarse sólo a mujeres que tengan pocos fibromas y, en ocasiones, debido a la circulación residual de estrógenos éstos pueden volver a crecer, caso en el cual puede ser necesaria una nueva intervención. La miomectomía no es una respuesta total al problema de los fibromas, pero es algo de lo que usted debe estar informada.

50 He tenido flebitis. ¿Puedo pensar en la terapia de sustitución estrogénica?

La flebitis es un problema circulatorio producido por la inflamación de una vena. En el pasado, los problemas circulatorios y vasculares solían ser contraindicaciones para la terapia con estrógenos. En la actualidad, la comunidad científica está dividida en relación con este punto. Entrevisté a un número de médicos que creen que puede prescribirse alguna forma de estrógenos a mujeres con flebitis, siempre y cuando la paciente esté sujeta a un seguimiento cuidadoso y frecuente. En el otoño de 1996 se presentaron los resultados de tres estudios diferentes que mostraron un aumento del doble al cuádruple en la incidencia de flebitis en las piernas de mujeres tomando estrógenos, cifras que se mantienen tanto si la terapia es con estrógenos solos o con la combinación estrógenos-progestágeno. Más aún, algunos médicos desaconsejan definitivamente los estrógenos en las mujeres que han presentado problemas de coagulación de la sangre, como tromboflebitis. Otros médicos hacían la excepción en caso de antecedente de episodio único, pero no estarían de acuerdo con la elección de estrógenos si el antecedente es de episodios repetidos de flebitis o de otros problemas de coagulación.

A la vez que mencionamos los problemas relacionados con la flebitis, deberíamos traer a cuento otros problemas circulatorios que representan contraindicaciones para la terapia de sustitución estrogénica. Estos problemas forman parte de la llamada enfermedad tromboembólica, que resulta de una tendencia a la formación de coágulos en la sangre. Entre éstos están los coágulos en las venas (tromboflebitis), en los pulmones (embolia pulmonar) y en las arterias de las piernas. Un ataque cardíaco o cerebral ocasionados por un coágulo que se ha desplazado en el cuerpo hasta llegar a obstruir una arteria ya sea en el corazón o en la carótida, camino al cerebro, también está dentro de los accidentes denominados tromboembólicos. Hay una cierta preocupación en cuanto a la posibilidad de que los estrógenos puedan contribuir a la formación de coágulos, y a mayores dosis, se presenta mayor riesgo. El riesgo aumenta en mujeres fumadoras, puesto que el cigarrillo aumenta la posibilidad de problemas circulatorios y vasculares. Hay otros estudios que no han encontrado el mismo efecto.

Entonces, ¿cuál sería la respuesta final? Infortunadamente, no la hay. Si usted presenta problemas circulatorios y está tomando estrógenos, está jugándose la suerte.

51 ¿Ganaré peso si tomo estrógenos?

Debo repetirlo. ¡Los estrógenos no ocasionarán un aumento considerable de peso! Sin embargo, muchas de las mujeres que he entrevistado insisten en que los estrógenos contribuyen a abrir el apetito (quizá porque las hacen sentir mejor, y por tanto pueden estar más activas). Aproximadamente una de cada cuatro mujeres reportan un ligero aumento de peso después de iniciar su terapia con estrógenos. No es claro si se trata de aumento del tejido graso o de una cierta retención de líquidos, pero el problema persiste. Se hace aparente en la balanza. También lo notamos en nuestra ropa.

Es posible que se trate de un problema de edad y no exactamente de la medicación, puesto que la menopausia se presenta justamente cuando nuestro metabolismo ha bajado su rendimiento y éste puede ser el culpable. Como si esto fuera poco, el número de calorías que necesitamos las mujeres baja entre un 2 y un 8% cada década después de los veinte años. Pensemos lo siguiente: Digamos que usted tiene cincuenta años y la reducción en su necesidad calórica está aproximadamente en la mitad, es decir cerca del 5%. Está tres décadas por encima de los veinte, por tanto es posible que necesite consumir 15% menos calorías ahora. Obviamente, en este porcentaje influyen profundamente el qué y el cómo come usted, así como la cantidad de ejercicio que realiza.

Ahora tome en cuenta que a medida que envejecemos, el porcentaje de masa muscular —no grasa— se reduce a medida que aumenta el tejido graso. ¿Qué nos dice esto? De nuevo, señala el hecho de que mantener el peso depende de una nutrición sensata y un régimen de ejercicios regulares. Antes de abordar el tema de la nutrición y de determinar el mejor programa de ejercicios, volvamos al consumo metabólico. Estadísticas obtenidas en el campo de la nutrición nos informan que a partir de los treinta y cinco años nuestro metabolismo disminuye entre 0.5 y 1 % al año. Pensemos, de nuevo, que usted tiene cincuenta años y que su metabolismo está dentro de este patrón de descenso. En este momento su metabolismo habrá disminuido aproximadamente 15%. Ahora, si volvemos a los rangos mencionados, le será fácil reconocer el espectro de diferencias individuales. Si tiene suerte, su metabolismo sólo ha bajado aproximadamente un 7%, pero de todos modos debe hacerle frente a esta modificación si su objetivo final es conservar su peso. En realidad éste sería un magnífico objetivo, si hablamos en términos de su salud general.

52 ¿Qué pueden hacer las mujeres para evitar ganar peso después de la menopausia y cuando están tomando estrógenos?

¿Qué dieta sería aconsejable para esta época de la vida? Ésta es una pregunta que me plantean con frecuencia mis lectoras. La respuesta más simple es que en este momento de la vida debemos comer los mismos alimentos saludables que debimos haber comido durante toda la vida. La mayoría de los expertos se apresuran a señalar que alimentarse correctamente es muy importante para nuestra salud y para conservar un adecuado cociente de energía. Nuestra dieta debería ser definida por la necesidad de bajar grasa, aumentar fibra y asegurarnos de consumir alimentos ricos en calcio. Muchas mujeres me han dicho que han tratado toda clase dietas y que su peso ha subido y bajado como un yo-yo año tras año y que cada día se hace más y más difícil perder peso. Esto se debe a que las dietas rápidas hacen perder grasa y músculo y cada vez que se vuelve a ganar peso, lo que se hace es aumentar el tejido graso. Y como el tejido magro muscular nos ayuda a quemar grasa en forma más efectiva, la capacidad de nuestro cuerpo para utilizar las calorías inteligentemente se ve muy afectada cada vez que nos sometemos a esas súbitas modificaciones de peso.

El principal impulso para reducir grasa corporal debería ser reducir el consumo de grasas. La razón para esto es que la grasa genera grasa que se ubica rápidamente en nuestras caderas y muslos, dándonos esa figura tipo manzana que ya se nos ha dicho que puede predecir un posible ataque cardíaco. Trate de conservar su consumo de grasas entre 20 y 30 gramos al día. Recuerde que las proteínas y los carbohidratos son buenas opciones, puesto que contienen menos de la mitad de las calorías de las grasas. La dieta más saludable está compuesta principalmente por verduras, frutas y granos enteros.

No olvide combinar un sensato consumo de alimentos bajos en grasa con un buen plan de ejercicios que tenga los tres tipos de ejercicio que necesitamos las mujeres: estiramientos para mantener la flexibilidad, ejercicios aeróbicos para proteger nuestros corazones y ejercicios de resistencia para proteger nuestros huesos. El ejercicio de resistencia número uno para controlar el peso es caminar, de acuerdo con un informe de la National

Sporting Goods Association de Estados Unidos; así que todo lo que se necesita son unos cinco minutos de estiramiento, seguidos por unos treinta de caminata rápida y cinco de enfriamiento. Los ejercicios de resistencia con pesas también ayudan a mantener el estado físico pues fortalecen nuestros músculos y ayudan a conservar la densidad mineral de nuestros huesos, protegiéndonos contra la osteoporosis. Los ejercicios de resistencia generan un aumento de la masa muscular, lo que acelera nuestro metabolismo y nos ayuda a quemar más calorías. El American College of Sports Medicine recomienda que los adultos saludables trabajen con pesas al menos dos veces por semana, si no sufren ninguna enfermedad que les impida hacerlo. Si no está segura, consulte con su médico. Si el trabajo con pesas le conviene, aprenda cómo usarlas adecuadamente. En el capítulo 11 encontrará más información relacionada con la nutrición y el ejercicio apropiados para la edad madura.

53 Mi madre y mi hermana han tenido cáncer de seno. ¿Puedo tomar estrógenos?

A las mujeres con antecedentes familiares similares a los suyos les preocupa, y con razón, tomar estrógenos. La mayoría no quieren tomarlos y muchos médicos se niegan a formularlos. Algunos estudios realizados por los Institutos Nacionales de Salud de Estados Unidos muestran que el riesgo de cáncer de seno se duplica en una mujer cuya hermana o madre lo hayan padecido. Por lo general, si el cáncer de la madre se declaró en los años previos a la menopausia, el riesgo de la hija es incluso mayor. Tomar estrógenos en este caso es realmente arriesgado, pero además se plantean otras consideraciones de salud. Por ejemplo, si los síntomas de su menopausia son muy fuertes y le ocasionan incomodidades reales, es posible que algunos médicos contemplen la posibilidad de una terapia de sustitución estrogénica a muy corto plazo y un seguimiento muy cercano y cuidadoso de su proceso. Si en su historia clínica familiar también hay factores de riesgo para osteoporosis, enfermedad cardíaca o enfermedad de Alzheimer, además del cáncer de seno, se puede tomar una decisión a favor de los estrógenos si se consideran las siguientes estadísticas: nueve veces más mujeres mueren de enfermedad cardíaca que de cáncer de seno; la osteoporosis es la cuarta causa de muerte entre las mujeres y en numerosos estudios la sustitución estrogénica ha mostrado resultados alentadores en la protección contra la enfermedad de Alzheimer o en el retraso de su progresión.

La respuesta a su pregunta se facilita un poco gracias a que la FDA aprobó hace poco una esperanzadora medicina denominada Evista (nombre comercial con el que se conoce en Estados Unidos), o “estrógeno de diseño”, que ya mencionamos antes y que discutiremos con más detalle en el capítulo 8. Los medicamentos para tratar la osteoporosis que ya han sido aprobados por la FDA, como Fosamax y Miacalcic, se abordan en detalle en el capítulo 3.

54 ¿La tensión arterial elevada es una contraindicación para tomar estrógenos?

The Menopause Time of Life (El tiempo de la menopausia en la vida), publicado en 1986 por el U.S. Department of Health and Human Services (Departamento de Salud y Servicios Humanos de los Estados Unidos), incluye la hipertensión en la lista de problemas de salud que impiden a las mujeres tomar estrógenos. Por el contrario, los datos que nos proporciona el estudio conocido bajo la sigla PEPI (ver la pregunta 30 en el capítulo 3) demuestran que los estrógenos, ya sea solos o con progestágeno, en caso de útero intacto, no parecen aumentar la tensión arterial, al menos no la aumentaron dentro del término de los tres años que comprendió el mencionado estudio. Los hallazgos más recientes sugieren que las mujeres que han sufrido de tensión arterial alta en el pasado podrían beneficiarse de los estrógenos puesto que éstos pueden reducir la incidencia de ataques cardíaco y cerebral. Si usted y su doctor en alguna ocasión consideraron la posibilidad de una terapia con estrógenos pero la descartaron debido a hipertensión, es posible que ahora deseen reconsiderar esta decisión.

Los estrógenos suministrados por terapia transdérmica (el parche discutido en el capítulo 5) evitan el paso por el hígado, los riñones y el sistema digestivo, de modo que representan una posibilidad para las mujeres con determinados tipos de hipertensión, incluso desde antes de que se iniciara el PEPI. Ésta es la razón por la cual los estrógenos aplicados por medio del parche y por vía vaginal en forma de crema (ver pregunta 63) no parecen afectar la tensión arterial, quizá porque no estimulan la liberación de enzimas (renina y angiotensina) desde los riñones, lo que, a su vez, puede producir un alza en la tensión arterial, como sucede con aproximadamente cinco de cada cien mujeres que toman el estrógeno por vía oral.

Si usted experimenta un aumento en su tensión arterial muy poco después de tomar tabletas de estrógenos, esta forma de aplicación no le conviene. Su médico posiblemente le sugerirá cambiarse al parche. La mayoría de los médicos parecen estar de acuerdo en que las mujeres con tensión arterial alta pueden utilizar una forma de estrógenos que no afecte su tensión arterial. Por lo general es cuestión de hacer un seguimiento cuidadoso y de estar dispuesta a cambiar de productos. Puesto que la tensión arterial alta puede dar origen a ataques cardíacos o cerebrales, es importante controlarla con regularidad, independientemente de la decisión que tome en relación con los estrógenos. Recuerde, la hipertensión es conocida como la asesina silenciosa puesto que no hay síntomas que anuncien su presencia. Una de las mejores formas de bajar la tensión arterial es perder peso.

55 Sufrí un ataque cardíaco a los cuarenta y siete años. Hoy tengo cincuenta y cinco. ¿Puedo tomar estrógenos?

Muchos estudios han mostrado que cuando las mujeres con historia de enfermedad cardíaca toman estrógenos pueden tener menos riesgo de presentar nuevos problemas cardíacos y sus expectativas de vida aumentan. Consulte las respuestas a las preguntas 56 y 80, en donde encontrará información más reciente, aunque no definitiva. Hay algunos informes que demuestran que hay un porcentaje muy alto (entre 70 y 90 %) de reducción en la mortalidad de mujeres con enfermedad cardíaca que empiezan a tomar estrógenos. Hay otros que están en desacuerdo con esta conclusión.

Esto puede estar relacionado con el hecho de que cuando las mujeres saludables toman estrógenos para prevenir enfermedades cardíacas, se observa en ellas una reducción en los niveles de colesterol. Cuando, sin embargo, se formulan estrógenos a mujeres con enfermedad cardíaca, parece que además mejoran el funcionamiento y aumentan la elasticidad de los vasos sanguíneos. Haber tenido un ataque cardíaco a los cuarenta y siete años la pone, ciertamente, en el extremo más joven de la escala, ya que la mayoría de las mujeres no sufren enfermedad coronaria o ataques cardíacos antes de la menopausia.

Es precisamente durante la década que sigue a la menopausia que las mujeres empezamos a igualar a los hombres en lo que a enfermedad cardíaca se refiere. Los diez años de gracia que tenemos nosotras posiblemente se deben a los estrógenos que producen nuestros cuerpos; parece ser que éste protege nuestros corazones, elevando el nivel de colesterol HDL, el bueno, que limpia las arterias quitando la placa y evitando que las sustancias grasas se adhieran a las paredes de éstas.

56 ¿Qué estudios relevantes se han hecho sobre la relación estrógenos-enfermedad cardíaca?

El Nurse's Health Study (Estudio de la salud de las enfermeras), investigación a largo plazo que se inició en 1976, mostró una estrecha relación entre la deficiencia de estrógenos y el riesgo de enfermedad cardíaca. El PEPI, ensayo de una duración de tres años y que contó con el apoyo financiero principalmente del National Heart, Lung, and Blood Institute (Instituto Nacional de Corazón, Pulmones y Sangre) de los Institutos Nacionales de Salud de Estados Unidos, fue el primer estudio importante que abordó los efectos de la terapia de suplencia hormonal y de la terapia de sustitución estrogénica en mujeres menopáusicas y proporcionó información interesante acerca de las mujeres y la enfermedad cardíaca. Mostró el impacto positivo de la terapia de reemplazo hormonal sobre el colesterol en la sangre. Debido a que éste era un estudio a corto plazo, no permitió sacar conclusiones definitivas en relación con el beneficio a largo plazo sobre la salud cardiovascular. Sin embargo, sirvió para mostrar que los estrógenos no sólo protegen a la mujer contra la pérdida de masa ósea, sino que ayudan a incrementar el contenido mineral en los huesos de las caderas y de la columna.

Un informe presentado por el Heart and Estrogen-Progestin Replacement Study (Estudio sobre el corazón y la terapia de suplencia hormonal) con una duración de cinco años y un costo de $40 millones de dólares, diseñado para estudiar si la terapia de suplencia hormonal ayuda a reducir la frecuencia de nuevos incidentes cardiovasculares en mujeres con preexistencia de enfermedad cardiovascular, sirvió para aclarar algunos de los efectos a corto plazo producidos por la terapia combinada de estrógenos con progestágeno. Más de dos mil mujeres postmenopáusicas con enfermedad coronaria tomaron parte en este estudio. Los resultados fueron publicados en el *Journal of the American Medical Association* (Agosto 19, 1998) y plantean ciertas dudas sobre una idea generalizada según la cual las mujeres que ya sufren de enfermedad cardíaca se pueden beneficiar de la terapia de sustitución hormonal después de la menopausia (ver pregunta 80). Por otra parte, es indispensable obtener información del principal estudio entre todos los estudios sobre la salud de la mujer, el NIH Women's Health Initiative — WHI (Iniciativas para la salud de la mujer), realizado con más de 164.500 mujeres en un período de trece años. Infortunadamente esa información no estará disponible sino en el 2005, puesto que podría proporcionarnos información importante que nos gustaría tener a muchas de nosotras hoy. El WHI fue diseñado para estudiar los efectos de la terapia de suplencia hormonal sobre la enfermedad cardíaca, el cáncer de seno y la osteoporosis. Independientemente de los resultados que se obtengan en este estudio, lo que sí parece evidente es que los estrógenos tienen un valor terapéutico sobre el sistema circulatorio.

57 Soy diabética. ¿Puedo tomar estrógenos?

Es posible que no sólo pueda sino que deba tomar estrógenos. Las dosis de estrógenos usadas en la terapia de sustitución usualmente son tan bajas que pueden ser usadas por las mujeres con diabetes, debido a que los estrógenos muy raramente afectan el metabolismo del azúcar. Si usted y su médico deciden que los estrógenos pueden beneficiarla, es posible que se le haga un seguimiento cuidadoso de los niveles de azúcar en la sangre.

Como usted ya lo sabe perfectamente, la diabetes es una enfermedad producida por un problema con el metabolismo del azúcar. La diabetes juvenil (denominada en la actualidad diabetes insulino-dependiente) se hace evidente, como su nombre lo indica, en la infancia. Consiste en una deficiencia en la producción de insulina que, por lo general, requiere de la aplicación de inyecciones de insulina diariamente para compensar esta carencia. La diabetes tipo II es mucho más común y suele presentarse en mujeres postmenopáusicas. Se conoce como diabetes del adulto o diabetes no-insulino-dependiente. La diferencia entre estos dos tipos de diabetes consiste en que en la diabetes del adulto el cuerpo sí produce insulina, pero por razones que se desconocen es incapaz de utilizarla.

El factor hereditario, la obesidad y una tensión arterial alta con frecuencia son el caldo de cultivo para la diabetes del adulto, que puede aparecer en las mujeres después de la menopausia. Con frecuencia se puede controlar la diabetes con ejercicio y dieta para reducir peso. Si no se controla la diabetes sea ésta tipo I o tipo II, se están sentando las bases para una enfermedad coronaria cardíaca. La diabetes produce efectos nocivos sobre las arterias pequeñas del cuerpo y cuando usted presenta diabetes, tensión arterial alta, obesidad, colesterol elevado y triglicéridos elevados, está aumentando cuatro veces el riesgo de una enfermedad cardíaca. Cuando de un ataque cardíaco se trata, la supervivencia femenina es problemática, especialmente en el caso de las diabéticas. Al menos hasta el momento parece ser que los estrógenos pueden ser su aliado en su batalla a largo plazo contra la enfermedad coronaria cardíaca.

58 ¿Si tomo estrógenos tendré la menstruación toda la vida?

"Toda la vida" es mucho tiempo. En la actualidad hay formas de tomar estrógenos que pueden proporcionarle los beneficios mencionados sin que ello implique seguir menstruando. En primer lugar estudiemos por qué ocurre esto. Recordará que en la introducción hablamos de cómo cada mes el ovario libera un óvulo, lo que envía la señal para que la planta de producción de estrógenos y progesterona se ponga en funcionamiento. Los estrógenos y la progesterona preparan el revestimiento interno del útero para acoger al huevo fecundado. Cuando no hay fecundación, el revestimiento del útero es expulsado en lo que se conoce como la menstruación y el ciclo vuelve a empezar.

Este proceso puede equipararse al de la terapia de suplencia hormonal así: usted toma estrógenos del día 1 al día 25 del mes, adiciona progestágeno por los últimos 12 ó 13 días en los que está tomando estrógenos y luego deja de tomar las dos hormonas los últimos días del mes. Lo que ocurre es que en su útero se deshace el revestimiento que se formó en este ciclo, produciendo una menstruación denominada sangrado de privación. Pero en la actualidad hay una nueva forma de tomar estrógenos y progesterona y se llama terapia combinada continua. Con este régimen, usted toma estrógenos y una dosis muy baja de progestágeno durante todos los días del mes, todos los días del año. Este tipo de terapia debería terminar con el problema de la menstruación en un período de tres a seis meses. Esto puede ser una bendición pues la baja dosis de progestágeno con frecuencia acaba con los desagradables síntomas parecidos al síndrome pre-menstrual. Hay una teoría muy interesante que respalda esta aproximación combinada y es que los receptores de hormonas en el útero, al ser bombardeados por las hormonas a diario, eventualmente se agotan y el revestimiento de la pared interna deja de crecer. (Desde luego, nada de esto aplica a las mujeres que se han sometido a una histerectomía, quienes, si deciden tomar estrógenos, pueden tomarlos sin progestágeno).

Si quiere ensayar la terapia combinada continua para obtener beneficios a largo plazo, debe estar preparada para enfrentar sangrados abundantes e irregulares en los primeros meses. Las mujeres mayores suelen tener menos problemas con este régimen, puesto que sangran menos sencillamente porque el recubrimiento de su útero puede estar respondiendo menos a las hormonas.

Hay nuevos productos para los dos tipos de terapia. Se hablará de ellos en forma detallada en la respuesta a la pregunta 88.

59 Ensayé con estrógenos orales y tuve un ataque de vesícula, por tanto dejé el tratamiento. ¿Puedo volver a intentarlo y evitar estos problemas?

A una amiga muy querida la tuvieron que sacar de un avión con un cólico insoportable. Después de calmarla en el hospital, le hicieron el diagnóstico: había expulsado un cálculo. Antes nunca había sufrido de la vesícula e inmediatamente sospechó de los estrógenos, pues eran la única adición reciente a su vida. Dejó de tomarlos porque, según dijo: "No quiero correr el riesgo de tener que soportar ese dolor de nuevo". En la actualidad y gracias a estudios recientes que demuestran que los estrógenos nos protegen de tantas enfermedades, está empezando a reconsiderar su decisión. Quizás es lo más sensato.

Hagamos un alto en el camino y abordemos la posible relación entre los estrógenos y las enfermedades de la vesícula. Los cambios en los niveles de estrógenos afectan la forma en la que el cuerpo metaboliza la bilis. Estos cambios pueden dar origen a la formación de cálculos en la vesícula. Debido al impacto que producen los estrógenos, las enfermedades de la vesícula son más comunes en las mujeres. Algunos estudios han mostrado que las mujeres que toman tabletas orales presentan un riesgo mayor de complicaciones vesiculares. Éstos indican que el riesgo aumenta si usted está tomando la hormona y que decrece considerablemente después de cinco años de haber suspendido la terapia. Entonces, si ése es el caso, mi amiga tomó la decisión correcta.

El problema puede estar directamente relacionado con los estrógenos orales, pero ¿qué pasa con el parche, con la crema, o la más reciente innovación, el anillo vaginal? Es posible que ellos no conlleven el riesgo de producir problemas en la vesícula. En el caso del parche puede deberse a que, al ser introducidos en el cuerpo por vía transdérmica (a través de la piel), los estrógenos inicialmente evitan el paso por el hígado.

Los cálculos de la vesícula, aunque casi nunca producen efectos fatales, pueden ser extremadamente dolorosos. En algunos casos es necesaria la cirugía, lo que implica su propio paquete de riesgos y beneficios. Entonces, ¿qué debe hacer mi amiga? Ella sabe que los factores de riesgo para las enfermedades de vesícula incluyen una dieta alta en grasas, la obesidad y los antecedentes familiares de enfermedades de vesícula. Es interesante notar que no presenta ninguno de ellos. Su decisión sigue basándose en ese ataque de vesícula que, según dice, fue suficiente para toda la vida. Sin embargo, está reabriendo su archivo sobre los estrógenos y está dispuesta a considerar la posibilidad de nuevo, teniendo en cuenta toda la información disponible.

60 ¿Es posible que una mujer que haya sufrido de cáncer del endometrio piense en tomar estrógenos?

Ésta es otra de las negativas rotundas que empieza a ser reconsiderada en la actualidad. Se creía que la terapia de sustitución estrogénica no era una buena idea para una persona que hubiera padecido de cáncer del endometrio, puesto que más del 80 % de los cánceres endometriales son estrógeno-dependientes. Dos estudios realizados a finales de los años 80, sin embargo, sugieren que la terapia de sustitución estrogénica no aumenta el riesgo de una recurrencia.

Con el ánimo de aclarar este punto, un estudio a gran escala comparará la terapia de sustitución estrogénica con un placebo, en más de dos mil mujeres que han sido sometidas a cirugía para el tratamiento de cáncer endometrial en fases tempranas. Las mujeres de ambos grupos serán examinadas cada seis meses durante tres años y después anualmente durante dos años más. De nuevo en este caso, deberán pasar varios años antes de que tengamos los resultados y es posible que no nos den una respuesta definitiva. Ésta es un área de preocupación que quizá desee discutir con su médico. Hable acerca de los nuevos MSRE (moduladores selectivos de los receptores estrogénicos), recientemente aprobados por la FDA; a estos moduladores no se les permite la entrada a los tejidos de útero y senos, pero continúan simulando la acción de los estrógenos en otras partes del cuerpo.

61 Tuve cáncer de seno, pero los síntomas de mi menopausia me están matando. ¿Puedo someterme a la terapia de sustitución estrogénica?

Iniciamos este capítulo con una pregunta relacionada con el cáncer de seno. Creo que vale la pena cerrarlo con el mismo tema. Las preguntas relacionadas con el cáncer de seno permanecen vigentes puesto que éste sigue siendo uno de los principales temores de la mujer, aunque la enfermedad cardíaca es la asesina número uno. Como ya se explicó antes, hay algunos médicos que están dispuestos a aplicar la terapia de sustitución estrogénica durante períodos cortos, haciendo un seguimiento muy cuidadoso de las mujeres que hayan tenido cáncer de seno y presenten síntomas de menopausia muy agudos. Es un punto bastante difícil.

Asegúrese de que la relación con su médico sea verdaderamente agradable, y revise junto con él los riesgos y beneficios de los estrógenos. Si presenta factores de riesgo para otras enfermedades, por ejemplo, enfermedad cardíaca y osteoporosis, agregue esa información a su ecuación. Puede estudiar la posibilidad de tomar, el nuevo compuesto de estrógenos que elimina el riesgo para los tejidos del seno y del útero, brindando protección a los huesos y al corazón. Si hay algunos cambios que todavía no ha introducido en su estilo de vida, como una dieta más adecuada y hacer más ejercicio, incluya esto en su deliberación también. Hable acerca de las terapias alternativas que pueden aliviar los síntomas de su menopausia, desde la acupuntura hasta la visualización. Estudie la posibilidad de tratamientos a base de plantas o de vitaminas, éstos también pueden funcionar (se habla de ellos en el capítulo 10). Junte toda la información con la pieza clave, es decir, ¿su cáncer de seno era estrógeno-dependiente? Por último, tome una decisión siguiendo el consejo de su médico.

SEGUNDA PARTE

ESTRÓGENOS —PRODUCTOS FARMACÉUTICOS

Nota: Es posible que algunos de los productos que se mencionan en esta segunda parte, y en este libro en general, no estén disponibles fuera del mercado de Estados Unidos, o se conozcan bajo otro nombre comercial. Sin embargo, en aras de preservar el espíritu informativo de esta obra, hemos conservado todos los nombres de productos tal como aparecen en el original, para que sirvan de punto de referencia y las lectoras puedan consultar con su médico esta información. *(N. del Ed.)*

5

¿QUÉ PRODUCTOS FARMACÉUTICOS ESTÁN DISPONIBLES EN EL MERCADO?

Cuando de tomar estrógenos se trata, la confusión es el principal problema. Hay más productos de los que podemos imaginar y constantemente se están lanzando nuevos. Las fórmulas de estos productos con frecuencia difieren de unos a otros. Esto es positivo y negativo a la vez. Positivo porque si un producto no le sirve, es posible intentar con otro. Negativo porque, como dice Elizabeth Barrett-Connor, M.D., una de las pioneras en la investigación de la salud de las mujeres menopáusicas, los médicos suelen ser conservadores con sus prácticas en relación con la formulación de medicamentos. Al afirmar esto, la doctora Barrett-Connor quiere decir que siguen prescribiendo a un 90 % de sus pacientes el mismo producto, en lugar de tratar de buscar el producto adecuado para cada paciente. Es posible que un médico que siempre ha formulado Premarin, el cual ha sido el producto óptimo desde su lanzamiento en 1940, siga prescribiéndolo por siempre. Entonces le corresponderá a la paciente decirle: "Doctor, esta droga no me conviene a mí. ¿No podríamos ensayar con algo diferente?"

Infortunadamente, muchas mujeres no saben que hay otros productos que las pueden afectar de manera diferente y por tanto no intervienen en la decisión. Por el contrario, lo que suelen hacer es dejar de tomar estrógenos, no se molestan en disminuir la dosis, como se sugiere en el capítulo 2, ni le informan a su médico que han suspendido la terapia sino cuando llega el momento de un nuevo chequeo. Otras mujeres, más tímidas, inseguras y no muy informadas, no llegan nunca a tomar la droga que les fue prescrita originalmente. Hay algunas que me han confesado haber llevado consigo la prescripción médica durante varios días, antes de decidir que finalmente no iban a tomarla.

En esta sección encontrará información acerca de los productos farmacéuticos disponibles en el mercado y respuestas a las preguntas que las mujeres se han estado planteando acerca de qué, cuándo, dónde, por qué y cómo es el asunto de los estrógenos. Lo primero que tenemos que determinar, nuevamente, es si usted se beneficia con la estrogenoterapia. Hasta ahora parecería que a la mayoría de las mujeres les conviene. Sin embargo, siempre hay otros puntos de vista, y la información obtenida de diversos estudios, nuevos y viejos, no proporciona respuestas de inmediato. Por tanto, antes de entrar en el análisis de los distintos tipos de estrógenos disponibles, debemos considerar de nuevo las últimas informaciones relacionadas con los estrógenos.

62 ¿Qué estudios recientes indican cuáles mujeres se beneficiarían más de los estrógenos?

Un estudio publicado en el *New England Journal of Medicine* (10 de junio de 1997) afirma que los investigadores han empezado a reconocer cuáles son las mujeres que se beneficiarían más de los estrógenos y cuáles deberían evitarlo. El estudio, realizado por Harvard Medical School y Brigham and Women's Hospital, se basa en el estudio de las enfermeras que ya hemos mencionado en este libro. Este estudio fue realizado con más de 120.000 mujeres, quienes llenaron cuestionarios acerca de su salud un año sí y otro no desde 1976. En este esfuerzo, los investigadores examinaron el uso de hormonas entre 3.637 mujeres postmenopáusicas (una parte de las 120.000 mujeres antes mencionadas) que murieron hacia finales del año 1994. La investigadora que dirigía el estudio, Francine Grodstein, observó dos mensajes importantes arrojados por el estudio. Número uno: las mujeres con uno o más factores de riesgo para enfermedad cardíaca, como antecedentes familiares, tabaquismo, obesidad, tensión arterial elevada y niveles altos de colesterol, son las que más se pueden beneficiar de la terapia con estrógenos. Número dos: si estas mujeres pueden eliminar sus factores de riesgo por medio de dieta y ejercicio, les convendría más evitar tomar hormonas. ¿Qué? Es un asunto bastante complicado en verdad.

En el mencionado estudio de Harvard, el más amplio que se haya realizado hasta ahora sobre los efectos de los estrógenos en mujeres postmenopáusicas, se encontró que la terapia de sustitución estrogénica reduce la tasa de mortalidad en mujeres mayores en un 37 %, principalmente porque se reduce el riesgo de muerte por enfermedad cardíaca. Recuerde, la incidencia de muerte por enfermedad cardíaca es nueve veces mayor que la de cáncer de seno en las mujeres. El estudio de Harvard también demostró que las mujeres aumentaban su riesgo de cáncer de seno si empezaban a tomar estrógenos a los cincuenta años. ¿Se puede sacar una conclusión? En el editorial de la misma edición del *New England Journal of Medicine,* se llega a una conclusión que sugiere esperar unos años más antes de empezar la terapia de sustitución estrogénica. La doctora Grodstein anota que, aunque aparentemente para las mujeres más saludables lo mejor sería evitar las hormonas, éstas representan una pequeña minoría dentro de la población en general, así como en el estudio mismo. (En el estudio de las enfermeras, el grupo podría tener mejores condiciones de salud que el grupo de mujeres en general.)

Meir J. Stampfer, investigadora de Harvard comprometida con el último estudio, admite que esta información modifica "la ecuación riesgo-beneficio", al notar que las mujeres necesitan tomar su decisión basándose principalmente en los otros posibles beneficios de la terapia de sustitución estrogénica, como serían el alivio de los síntomas de la menopausia y la prevención de la osteoporosis, frente a un posible mayor riesgo de cáncer de seno. "El problema sigue siendo muy complejo", admite la doctora Grodstein.

Consideremos de nuevo el 37%, anotando algo importante: de acuerdo con el estudio, una vez que una mujer ha estado en terapia de suplencia hormonal o en terapia de sustitución estrogénica durante una década, el beneficio de la disminución del riesgo de mortalidad a causa de una enfermedad cardíaca muestra un descenso a un 20%, porque el riesgo de cáncer de seno subió. Sin embargo, y según afirma la doctora Grodstein, es importante tener en cuenta que incluso las mujeres con cáncer de seno pueden beneficiarse de los estrógenos. Este estudio no debe considerarse como una orden para que todas las mujeres tomen hormonas, ni quiere decir que haya un tiempo límite (como son los diez años mencionados antes) dentro del cual las mujeres pueden estar en terapia con hormonas. Es simplemente otro de los elementos que forman parte de muchos estudios importantes que intentan aportar respuestas a esta pregunta tan delicada.

63 ¿Cuáles son las distintas presentaciones en las que vienen los estrógenos?

Hay una variedad de presentaciones, y cada una de ellas trabaja en el cuerpo de forma diferente. Por ejemplo, todas las tabletas de estrógenos son medicamentos orales, pero no todas son iguales. Veamos: Premarin, de Wyeth-Ayerst, está compuesto por estrógenos conjugados de origen equino, y Estrace, de Bristol-Myers Squibb, es betadiol-17. Ortho-Est, de Ortho-McNeil Pharmaceutical, es una tableta de estropipate. Este tema se abordará más adelante en este capítulo. Hay un elemento común para todos los medicamentos orales y es que deben pasar por el hígado para ser digeridos, antes de alcanzar el torrente circulatorio.

Los medicamentos de aplicación transdérmica son algo diferentes. Llegan a la sangre a través de la piel, evitando en principio el hígado, lo que significa que no sufren una modificación sustancial en su paso inicial por el cuerpo. Esto aplica también para algunos estrógenos en forma de gel o crema. Las inyecciones, obviamente, van directamente a la corriente sanguínea. Hubo una especie de cápsula de aplicación subcutánea que no fue totalmente acogida y por tanto la retiraron del mercado un poco después. Hay quienes creen que se va a reintroducir.

64 Yo prefiero lo natural. ¿Qué son los estrógenos naturales?

Hablar de estrógenos naturales es posiblemente equivocado. Cuando se trata de estrógenos, quizá la palabra "natural" se refiere a la hormona producida por el propio cuerpo, o también podríamos estar hablando de estrógenos producidos a partir de productos naturales, lo que incluye desde Premarin, que se fabrica a partir de la orina de yeguas preñadas, hasta uno de los parches, como Climara, que tiene una base de soya, pasando por toda la gama de fitoestrógenos (estrógenos vegetales), de los que hablaremos en el capítulo 9. También es posible que estemos hablando de los producidos por las farmacias especializadas en fórmulas magistrales a partir del ñame mexicano, siguiendo las instrucciones de determinados médicos. Estas farmacias preparan Bi-estrógeno, que es una combinación de aproximadamente 80% de estriol (unos estrógenos más débiles) y 20% de estradiol. También preparan Tri-estrógeno, que es una combinación de los tres tipos de estrógenos que circulan el cuerpo: estriol, estradiol y estrona. Esta preparación puede fabricarse siguiendo las instrucciones de su médico, de acuerdo con su respuesta personal, pero suele tener en principio un 80% de estriol, un 10% de estradiol y un 10% de estrona. Para esto es necesario que en la zona en la que usted habita existan este tipo de farmacias y que trabajen bajo las indicaciones de su médico particular.

65 He tomado Premarin por cerca de diez años. ¿Podría darme más información sobre este producto?

Este medicamento ha estado en el mercado más de cincuenta y cinco años. No sólo ha pasado el juicio del tiempo sino que ha pasado por todas las investigaciones posibles tanto básicas como clínicas. Premarin ha sido usado en más de tres mil estudios científicos relacionados con los estrógenos. De hecho, ha sido objeto de cerca del 90% de los estudios citados en la literatura médica en los últimos cinco años. Obviamente, Wyeth-Ayerst, la compañía que fabrica Premarin, ha apoyado muchos de estos estudios, todos ellos realizados siguiendo los principios y requisitos científicos.

Premarin se comercializa bajo la presentación de tabletas orales y ocupa el primer lugar en el mercado. Es el medicamento más formulado en los Estados Unidos. Contiene estrógenos equinos conjugados y deriva su nombre del hecho de ser derivado de la orina de las yeguas preñadas (en inglés, 'pregnant mare's urine').

No hace mucho tiempo una asistente a una de mis conferencias levantó la mano y preguntó en tono desafiante si yo sabía cuáles eran los componentes básicos del Premarin. Cuando le respondí calmada y sencillamente que se hacía a partir "de la orina de yeguas preñadas", pareció sentirse satisfecha. De hecho he tenido la oportunidad de visitar un par de ranchos en

Canadá en los que se recoge la orina de las yeguas preñadas y pude verificar que el cuidado de los caballos es impecable; los tienen en unos establos limpios y muy bien mantenidos.

Los elementos básicos del Premarin son: sulfato de estrona, sulfato de equilina y sulfato de 17 alfadihidroequilina. El sulfato de estrona corresponde a más de la mitad del producto y es una hormona que se encuentra tanto en los humanos como en los caballos. Los otros productos son otros estrógenos. Premarin es una mezcla compleja de estrógenos y está disponible en cinco concentraciones diferentes. Es interesante notar que un par de estrógenos conjugados, diferentes a Premarin, fueron presentados ante la FDA y no tuvieron la misma eficacia que Premarin, por lo que no fueron aprobados; esto hizo pensar a los investigadores que probablemente uno de los otros estrógenos procedentes de los caballos es el que confiere las cualidades únicas a Premarin.

En la actualidad este medicamento viene en diferentes presentaciones. Además de las tabletas, hay una crema vaginal que sirve para reducir los síntomas de la vaginitis atrófica, como el ardor, la piquiña y el dolor durante la relación sexual, ocasionados por el adelgazamiento y el resecamiento del tejido vaginal que resulta de la pérdida de estrógenos después de la menopausia. La crema ayuda a restaurar la elasticidad de los tejidos vaginales y el pH vaginal hasta llegar a niveles normales, lo que devuelve a las mujeres la comodidad y además reduce el riesgo de infecciones vaginales.

En 1995 salió al mercado Premarin bajo dos nuevas formas, para mujeres con un útero intacto que necesitan tomar tanto estrógenos como progestágeno. Los productos son Prempro y Premphase. Prempro representa la primera terapia hormonal combinada continua, que tiene dos tabletas en una: estrógenos y progestágeno (acetato de medroxiprogesterona), para ser tomada diariamente los 365 días del año. Este medicamento fue formulado el año pasado a más de siete millones de mujeres en los Estados Unidos. Premphase es una terapia cíclica combinada de reemplazo hormonal. Funciona algo distinto. Las dos primeras semanas del ciclo se debe tomar la tableta que contiene estrógenos solamente, y las dos semanas siguientes se debe tomar la que contiene estrógenos y progesterona. Prempro y Premphase están indicadas en mujeres con útero intacto.

66 Entiendo que los estrógenos transdérmicos no pasan por el hígado. Pero, ¿no irritan la piel?

En un artículo publicado en el *British Medical Journal* (Agosto 2, 1997), se afirma que el uso de los parches transdérmicos debe limitarse debido a la posible irritación de la piel. En esa investigación se trabajó con las dos formas existentes de parches. En una, los estrógenos están dentro de un depósito de alcohol rodeado por un anillo adhesivo. Éste es el caso de Estraderm, producido por Novartis Pharmaceuticals. En la otra, los estrógenos se disuelven literalmente en el adhesivo que recubre todo el parche (se conocen como sistema transdérmico de matriz). Ejemplos de los mismos son Vivelle, de Novartis; Alora, de Procter & Gamble, y Climara, de Berlex Laboratories. Es interesante notar que el estudio hizo una comparación de los dos sistemas, el de depósito y el de matriz, haciendo el seguimiento a ochenta y dos mujeres que decidieron dejar la terapia de sustitución estrogénica a causa de las irritaciones cutáneas.

En el estudio, las mujeres fueron asignadas al azar para usar el parche de depósito o el parche matriz por ocho semanas, cambiando luego por el otro sistema durante otras ocho semanas (a menos que la irritación cutánea se presentara antes). Setenta y dos participantes completaron el estudio. Treinta y tres no suspendieron el uso de ninguno de los parches, veintiséis abandonaron el de depósito, cuatro abandonaron el matriz y nueve desistieron de los dos tipos de parches. Se observó que de las mujeres que anteriormente habían experimentado irritaciones, sólo un 20 % las sufrieron de nuevo con la utilización del parche de matriz, pero cerca del 50 % volvieron a presentar irritaciones con el parche de depósito. Aunque el estudio tuvo una cobertura limitada, los autores concluyeron que a aquellas mujeres que habían experimentado irritaciones con los parches de depósito tal vez les convendría reintentar con los parches de matriz.

67 ¿Qué tipo de parche es el Estraderm?

Estraderm fue el primer producto estrogénico transdérmico que se lanzó al mercado. El desarrollo de este producto por Ciba Geigy Pharmaceuticals (hoy Novartis), determinó la primera alternativa real a la terapia de sustitución estrogénica en forma oral. Estraderm se aplica dos veces por semana y es un sistema transdérmico de liberación de estrógenos, que contiene estradiol y está indicado para la sustitución fisiológica de los estrógenos; salió al mercado a mediados de los años 80. Fue entonces que las mujeres se dieron cuenta de la posibilidad de este tratamiento. Abrió la opción de afirmar: no más píldoras si no tienes útero (las mujeres con su útero intacto seguían necesitando las píldoras con progestágeno). Estraderm es un parche delgado, transparente y de varias capas, que contiene 17-beta estradiol en un compartimento en el que se disuelve en alcohol y está recubierto por una membrana que controla la liberación del mismo durante unos tres o cuatro días. Está recubierto por una capa adhesiva que lo fija a la piel. Este parche debe cambiarse dos veces por semana.

El parche tiene aproximadamente el tamaño de un billete y es transparente. Por lo general se aplica en un lugar del cuerpo en el que la piel se pliegue poco por el movimiento, como las nalgas o el vientre, y libera los estrógenos de manera lenta y constante. Hay un parche un poco más grande, de forma ovalada, que contiene una dosis mayor de estrógenos. Se hablará de la dosificación en el capítulo 6.

El entusiasmo que generaron los parches fue grande. Por fin teníamos un sistema terapéutico con estrógenos que evitaba el paso por el hígado. Esto era excelente porque los estrógenos en forma oral deben someterse al proceso digestivo total y por tanto el hígado lo metaboliza y puede transformarlo considerablemente. La teoría fue que al evitar el hígado, la terapia de sustitución estrogénica podía ser formulada a mujeres cuyas condiciones preexistentes podían desaconsejar su aplicación. Por ejemplo, aquéllas con problemas en el hígado o la vesícula, o con cierto tipo de hipertensión u otros problemas circulatorios, tenían la posibilidad de tomar estrógenos. Otro elemento positivo era que como los estrógenos no sufrían modificaciones inicialmente, el médico estaba en mejores condiciones para hacer su seguimiento por medio de un análisis de sangre.

Pero surgieron algunos problemas. Las mujeres manifestaron su inquietud por la sensibilidad al adhesivo. Hubo otra queja, aunque no muy frecuente, relacionada con la sensibilidad de la piel a los estrógenos mismos. Para muchas mujeres estos problemas podían solucionarse moviendo el parche a otra parte del cuerpo, cada vez que se lo cambiaban. Muchas mujeres se quejaron de una marca rosada que permanecía en la piel por varios días después de retirado el parche. Para muchas de ellas la irritación de la piel simplemente dejó de aparecer con el uso repetido. Pero aquéllas cuya piel siguió mostrando la sensibilidad al adhesivo, debían ensayar otro tipo de terapia de reemplazo de estrógenos.

No había duda, sin embargo, de que la terapia transdérmica se había instalado entre nosotras. Un comentario bastante extendido era: "Yo no soy buena para tomar pastillas. Me gusta que el parche esté realizando su tarea sin tener que estar pendiente de la próxima toma de pastas". A mediados de 1998 se aprobó un nuevo parche denominado CombiPatch, que contiene tanto estrógenos como progestágeno, con lo que se elimina la necesidad de las tabletas.

68 ¿El parche de una vez por semana, como Climara, me proporciona suficientes estrógenos?

Siempre y cuando le sirva a usted. Me encanta la publicidad de Climara que dice: "Olvide su menopausia durante una semana". ¡Sería maravilloso! Para algunas mujeres el sistema transdérmico semanal es la respuesta a sus sueños. Para otras, la dosis no es suficiente o no dura hasta el fin de la semana y los síntomas vuelven a aparecer cuando menos se esperaban, lo que puede ser bastante problemático. Como sucede con otros parches, Climara debe aplicarse en algún lugar entre la cintura y las rodillas y, obviamente, nunca sobre los senos. La compañía sugiere aplicarlo en el vientre sobre piel seca y limpia, alternando el lugar cada semana.

Los cuerpos de las mujeres responden en formas muy diferentes a la terapia de sustitución estrogénica. Climara, como su anuncio lo indica, nos libera de pensar en el medicamento más de una vez por semana. Contiene 17-beta estradiol, muy parecido a los estrógenos que producen naturalmente los ovarios. Como sucede con otras terapias transdérmicas, los estrógenos entran al organismo a través de la piel, evitando el tracto gastrointestinal. De acuerdo con Berlex Laboratories, compañía que produce Climara, es el primero y hasta la fecha único parche semanal. De un tamaño similar al de una moneda, extremamente delgado y transparente, es un diseño avanzado de matriz que permite una liberación continua y pareja de estrógenos hacia la corriente sanguínea.

Climara no contiene alcohol y se nos ha informado que produce un nivel de irritación cutánea muy bajo. (Según la compañía productora, solamente 6.8 % de las pacientes reportaron irritaciones de la piel, y menos del 1 % notaron que el parche se desprendió).

69 ¿Qué tipo de estrógeno es Alora?

Alora es otro tipo de parche producido por Procter & Gamble Pharmaceuticals, indicado para el tratamiento de los síntomas de la menopausia (de moderados a severos). Libera 17-beta estradiol a través de la piel, durante un período de tres a cuatro días por medio de la presentación adhesiva de matriz. No utiliza alcohol. Está disponible en tres concentraciones, lo que proporciona una mayor posibilidad de elección para la terapia transdérmica.

Como otros parches, Alora se sometió a estudio comparándolo con un placebo, con Premarin y con Climara, y los resultados que arrojó fueron favorables. Un estudio realizado por Thera Tech, Inc., de Salt Lake City, Utah, y por Health Decisions, Inc., de Chapel Hill, North Carolina, diseñado para comparar Alora con un placebo en mujeres postmenopáusicas, demostró claramente que Alora funciona bien. El estudio mostró su efectividad y seguridad en el tratamiento de los calores y de otros síntomas, puesto que libera estradiol en una cantidad consistente con los niveles premenopáusicos, y con un nivel bajo de irritación de la piel. Es decir que tenemos otra opción para la terapia de sustitución estrogénica.

70 ¿No hay un nuevo parche denominado Vivelle, lanzado por la misma compañía que produce Estraderm?

Tiene razón. Vivelle fue lanzado a mediados de los años 90. Es un parche transparente y pequeño, que se aplica directamente sobre las nalgas o el vientre, sobre piel seca y limpia, de la misma forma que los otros parches. Se diferencia del Estraderm en que es un parche de matriz en el que los estrógenos están extendidos en todo el adhesivo, en lugar de estar contenido en un depósito de alcohol y rodeado por un anillo adhesivo. Los dos parches funcionan bien en algunas mujeres. De nuevo aquí, como es el caso con los otros productos de estrógenos, las mujeres con útero intacto requieren también de alguna forma de progestágeno; las mujeres sin útero pueden tomar estrógenos solos.

Novartis, la misma compañía que produce Vivelle, tiene otro producto nuevo y muy interesante denominado Estracom TTS. Aunque no está disponible actualmente en los Estados Unidos, éste es un sistema transdérmico que combina estrógenos y progestágeno. Como el CombiPatch, nos libera totalmente de las píldoras. Cada ciclo de tratamiento de veintiocho días contiene cuatro parches de estradiol, que deben ser usados en las semanas 1 y 2, y otros cuatro parches que combinan estradiol y acetato de noretisterona (un tipo de progestágeno) para ser utilizados en las semanas 3 y 4.

71 ¿Hay alguna novedad relacionada con un producto más nuevo denominado Fempatch?

Éste es el más reciente de todos los parches y contiene una dosis más baja de estrógenos. El Fempatch es producido por Parke Davis, su dosis es de 0.025 miligramos contenidos en un parche muy delgado, y se debe cambiar una vez por semana. Contiene 17-beta estradiol y los estudios han demostrado que esta dosis es apenas la necesaria para algunas mujeres puesto que les produce alivio de síntomas de moderados a severos, como los calores y los sudores nocturnos.

72 He oído que un poquito de testosterona reactivaría mi libido. ¿Es esto nuevo?

Lejos de serlo. En realidad se observó en 1941, época en la que unos médicos de la Universidad de Chicago se ganaron el Nobel por su trabajo utilizando testosterona en mujeres con cáncer de seno. En ese entonces se observó que, aunque éste no era el objetivo del estudio clínico, las mujeres que estaban en terapia con testosterona experimentaron un incremento en su libido. Sin embargo, en los años 70, después del escándalo acerca del cáncer uterino relacionado con la utilización de estrógeno solo, cuando los médicos proscribieron los estrógenos, la mayoría desecharon también lo que habían aprendido acerca de la relación de la testosterona con la libido.

Sin embargo, Solvay Pharmaceuticals ha estado produciendo desde hace años Estratest —una gragea que combina estrógeno con testosterona— para mujeres postmenopáusicas. Se está utilizando desde 1967 con el padrinazgo de la FDA. Un buen número de estudios indican que las mujeres con menopausia, ya sea natural o inducida quirúrgicamente, parecen beneficiarse de la terapia con estrógeno-andrógeno (testosterona). Y como la menopausia quirúrgica (causada por la remoción del útero y los dos ovarios) da origen a una reducción más drástica de la producción de hormonas estrógenas y andrógenas que la menopausia natural (un proceso mucho más lento), esto puede dar origen no sólo a la desaparición de la libido sino a una pérdida acelerada de masa ósea.

Según Morris Notelovitz, M.D., director del Women's Medical and Diagnostic Center (Centro Médico y de Diagnóstico para Mujeres), en Gainesville, Florida: "Sus [de las mujeres con menopausia quirúrgicamente inducida] niveles de estrógenos caen súbitamente, lo que las coloca en el riesgo de una pérdida de masa ósea superior al promedio de la de las mujeres con una menopausia natural". El primer estudio clínico doble-ciego, a largo plazo, que comparaba los efectos de la terapia estrógeno-testosterona oral con estrógenos conjugados (estrógenos que han sido combinados, como es el caso del Premarin) en las mujeres con menopausia inducida quirúrgicamente, indica que el tratamiento combinado las protege contra la pérdida de masa ósea y les alivia los síntomas menopáusicos, al menos con la misma eficacia que las otras formas de estrógenos solos. Este estudio clínico dirigido por M. Chrystie Timmons, MD., directora de Gerigyn de Chapel Hill, North Carolina, y sus colegas, fue presentado en una reunión de la North American Menopause Society (Sociedad Norteamericana de Menopausia) en noviembre de 1996.

Otros estudios presentados por la misma época mostraron que las mujeres que no se sienten bien con otro tipo de terapias en las que se les aplican dosis más fuertes de estrógenos, podrían beneficiarse con la combinación de estrógenos y andrógenos. Esto es algo que algunas mujeres deben revisar. Otro punto a considerar es que en el pasado se creía que al adicionar la testosterona se podía perjudicar el efecto cardioprotector de los estrógenos. Se creía que, como las investigaciones habían mostrado que los estrógenos contribuían a la elevación de los niveles de lipoproteínas de alta densidad (HDL, colesterol "bueno") — posiblemente una de las razones por las cuales los estrógenos protegen los corazones de las mujeres — y se sabe que la testosterona baja el HDL, la combinación de estas dos sustancias podía neutralizar los efectos saludables de los estrógenos sobre el corazón. Otro estudio presentado en la misma reunión afirma que los "andrógenos no son malos, solamente producen un efecto neutro sobre la aterosclerosis". Consulte con su médico para saber qué piensa al respecto.

Mientras tanto, muchas de las mujeres con las que he hablado afirman que una semana después de haber empezado con Estratest, experimentaron un considerable despertar de su libido dormida. Otras mujeres no experimentaron cambio alguno. Si su problema es una libido baja, pero no una deficiencia cardíaca, posiblemente podría ensayar con Estratest a ver cómo reacciona. También hay otras formas de tomar testosterona: inyectada, cápsulas subcutáneas en las nalgas, o una gragea o cápsula compuesta.

73 ¿Qué es Estratab?

Son otros estrógenos orales fabricados por Solvay Pharmaceutical, pero sin testosterona. Son unos estrógenos basados en un producto vegetal. Un estudio reciente demostró que este producto contiene una dosis muy baja de estrógenos (0.3 miligramos al día) y que no sólo aumenta la densidad ósea sino que también alivia los síntomas de la menopausia y no incrementa el riesgo de hiperplasia endometrial (crecimiento exagerado de la pared interna del útero). Según el doctor Notelovitz, esta dosis es aproximadamente la mitad de la cantidad que antes se consideraba necesaria para proteger a la mujer contra la osteoporosis. Afirma también que aunque antes hubiera pensado que la dosis más baja de estrógenos daría lugar a la menor cantidad de casos de hiperplasia endometrial, se sorprendió al ver que esta dosis también protege a la mujer contra la osteoporosis.

74 He oído hablar de un anillo de estrógenos, ¿podría explicarme cómo opera?

Si el mayor problema que le ocasiona a usted la menopausia está relacionado con la atrofia urogenital, el nuevo producto denominado Estring, de Pharmacia & Upjohn Pharmaceuticals, quizá puede ser lo que usted necesita. El término atrofia urogenital es una forma elegante de decir que está experimentando adelgazamiento y resequedad de la vagina, ocasionados por una deficiente lubricación de la misma, lo que obviamente hace que sus relaciones sexuales sean dolorosas. También puede querer decir que está experimentando otros problemas urinarios relacionados con la frecuencia de la micción, quizá tenga la sensación de necesitar orinar todo el día o, por lo menos, demasiadas veces; también es posible que sienta la sensación de urgencia, es decir que cree que no va a lograr llegar al baño a tiempo; por último está la incontinencia de esfuerzo, es decir el goteo al toser, estornudar, reírse mucho o realizar algún esfuerzo físico considerable.

Estring es un anillo suave y flexible que contiene una dosis baja de estrógenos y que se ubica en la vagina, de la misma forma que el diafragma anticonceptivo. Éste se encarga de liberar estrógenos en la vagina, en la misma forma que las cremas vaginales, pero ofrece algunas ventajas adicionales. Debido a su sistema único de liberación continua de estrógenos, un anillo de Estring dura noventa días, no produce ninguna secreción externa y la mayoría de mujeres y hombres consultados afirman no notar la presencia del anillo durante la relación. Estring es tan eficaz como las cremas vaginales, pero éstas sí se perciben externamente y deben aplicarse una vez al día (algunas mujeres deben limitarse a usarlas entre una y tres veces semanales). Con Estring todo lo que hay que hacer es colocar el anillo y olvidarse de él por un tiempo. El nivel de estrógenos que libera Estring es muy bajo y como solamente actúa en los tejidos de los tractos urinario y vaginal bajo, las mujeres cuyo útero está intacto no necesitan complementarlo con ningún tipo de progestágeno o progesterona. Cuando usa Estring por primera vez, una mujer debe esperar unas tres semanas antes de experimentar una mejoría significativa.

75 ¿Los lubricantes vaginales que se compran sin fórmula médica pueden producir los mismos efectos que Estring?

En efecto, y en general funcionan muy bien en mujeres que presentan algunos pequeños problemas de lubricación. Es importante conocerlos puesto que el uso de geles de petróleo, aceite para bebés u otros aceites o cremas y lociones cosméticas puede ocasionar problemas en el entorno delicado de la vagina y su uso debe evitarse. Hay algunos productos que pueden utilizarse para lubricar la vagina y se pueden comprar sin fórmula médica, entre ellos están los siguientes:

Astroglide, de Biofilm Laboratories
Gyne-Moistring, de Shering-Plough Health Care Products
Replens, de Warner-Lambert
Lubrin, de Kenwood Laboratories
Moist Again, de Lake Pharmaceuticals
K-Y Jelly, de Johnson y Johnson.

76 ¿Qué son los MSRE?

MSRE es la sigla usada para referirse a un nuevo tipo de medicamentos denominados moduladores selectivos de receptores de estrógenos. Éstos constituyen una innovadora y esperanzadora modalidad de medicamento, que está haciendo su entrada en el campo de la preservación de la salud de la mujer.

La División Farmacéutica de Eli Lilly & Co., de Indianapolis, presentó información sobre sus moduladores selectivos de receptores de estrógenos en el "Cuarto Simposio sobre Adelantos Investigativos y Aplicaciones Clínicas", realizado en junio de 1997 en Washington, bajo el auspicio de la National Osteoporosis Foundation. El nuevo componente básico de Lilly, raloxifeno, se analizó para verificar su efectividad en la prevención de la osteoporosis y se llegó a la conclusión de que éste constituye una nueva opción para la mujer. Este compuesto puede actuar como los estrógenos en los huesos y en el sistema cardiovascular, y al mismo tiempo bloquear los efectos estrogénicos en el seno y en el útero.

Raloxifeno se estudió en cerca de doce mil mujeres en más de veinticinco países. Los resultados fueron excelentes. Raloxifeno, comparado con un placebo durante un período de veinticuatro meses, demostró su efectividad en la prevención de pérdida de masa ósea en la columna vertebral y en la cadera, generando a su vez un aumento considerable en el contenido mineral óseo. Según Ethel Siris, M.D., directora del Centro de Osteoporosis de Columbia University, "preservar esta densidad ósea es fundamental para la salud y la vitalidad de la mujer después de la menopausia, puesto que se reduce el riesgo de sufrir fracturas incapacitantes".

Los efectos de raloxifeno sobre los lípidos y otros indicadores de posibles ataques cardíacos y cerebrales también se evaluaron en estos estudios clínicos. Algunos estudios demostraron que raloxifeno redujo el LDL (lipoproteína de baja densidad, colesterol "malo"), pero no modificó el HDL ni los triglicéridos. También redujo el fibrinógeno (factor de la coagulación en la sangre), considerado como un factor adicional de riesgo de ataque cardíaco en caso de presentar niveles altos. Se están llevando a cabo más investigaciones para estudiar los efectos a largo plazo de raloxifeno.

Raloxifeno no estimuló el crecimiento del tejido uterino, ni produjo manchado ni sangrado; tampoco estimuló el tejido del seno en las mujeres, ni produjo inflamaciones, sensibilidad o dolor en el mismo. Estos dos efectos, es decir, la estimulación del tejido de revestimiento interno del útero que da lugar a un crecimiento potencialmente precanceroso, o la estimulación del seno, son unos de los posibles efectos secundarios de la terapia de sustitución estrogénica o la terapia de suplencia hormonal.

Los calores no corrieron la misma suerte en los estudios. Las mujeres que tomaron raloxifeno presentaron una incidencia ligeramente mayor de calores que las que estaban tomado un placebo; sin embargo, el problema de los calores hizo que muy pocas mujeres (2 %) decidieran suspenderlo.

Raloxifeno fue aprobado por la FDA el 9 de diciembre de 1997. En enero de 1998 ya se podía conseguir en farmacias bajo el nombre de Evista. Ésta es una contribución significativa a las posibilidades que se ofrecen a las mujeres para proteger su salud a largo plazo. Este nuevo medicamento les proporcionará a las mujeres, que por alguna razón médica no pueden tomar estrógenos o que deciden no tomarlos por razones personales, una nueva posibilidad de proteger sus huesos y sus corazones, así como su útero y sus senos, y todo esto al tiempo.

Resulta emocionante saber que las mujeres postmenopáusicas tienen a su disposición tantas nuevas formas de terapias de sustitución estrogénica y hormonal, así como los MSRE. Todos ellos pueden permitirnos vivir una vida más agradable y prolongada. Es importante que las mujeres se mantengan completamente informadas de todas las posibles opciones, para que puedan tomar las decisiones más acertadas para cada una de ellas. Es posible que le corresponda a usted llevarle a su médico las últimas informaciones puesto que, como ya lo he mencionado, muchos de ellos tienden a prescribir los mismos medicamentos en dosis idénticas a un 90 % de sus pacientes. Usted no quiere formar parte de este 90 %, quiere que se le prescriba la droga a su medida y para satisfacer sus necesidades particulares. Es importante entonces que insista en que le brinden un cuidado individualizado. Más que nunca antes, hoy es posible conseguir diversos productos cuando se trata de reemplazar hormonas que su cuerpo está produciendo en menor cantidad o que ha dejado de producir. Si un producto no le sirve, piense en otro. Si una dosis no da en el clavo, solicite a su médico que le ayude a equilibrar la dosificación hasta que le produzca el efecto deseado. No se conforme con menos.

6

¿CUÁLES SON LAS DOSIS APROPIADAS DE ESTRÓGENOS?

Cuando dicto conferencias y entrevisto mujeres, hay una observación común que está siempre presente: "La píldora (o el parche) que estaba usando no me servía. Seguía con los calores y tampoco dormía bien. Estaba en ésas cuando leí un artículo acerca del cáncer de seno en el periódico y decidí dejar los estrógenos. No llamé al médico. ¿Para qué? No hay nada más que en realidad me sirva, ¿no es cierto?" Falso. Como ya pudo leerlo en el capítulo 5, hay una gran variedad de productos que pueden suavizar o eliminar los síntomas de la menopausia y que ofrecen protección para los problemas a largo plazo. Consulte con su médico. Por lo general, si los estrógenos le están sirviendo, sus síntomas deberían disminuir en una semana y desaparecer en dos. Como podrá verificarlo cuando lea más, algunas presentaciones están disponibles en 1 ó 2 concentraciones; otras se presentan en 3, 4 y hasta 5 concentraciones, lo que da mucho margen para la experimentación, a fin de saber cuál es la dosis que realmente le conviene.

Por ejemplo, Premarin se puede encontrar en las siguientes concentraciones: 0.3, 0.625, 0.90, 1.25 y 2.5 miligramos. Estraderm parche viene en dos dosificaciones: 0.05 y 0.10. No hay ninguna fórmula mágica que determine qué dosis le debe prescribir su médico, se trata de ver si le sirve a usted o no. Así, la mayoría de los médicos que prescriben Premarin empezarán con 0.625 porque hasta hace poco las dosis más bajas no parecían ser suficientes para prevenir la osteoporosis.

Ahora, la dosis de 0.625 puede servirles a algunas mujeres, pero no a otras. En algunos casos las mujeres llaman a sus médicos y la dosis se ajusta hasta que se encuentra la que cada una necesita o hasta que ésta se cansa y dice: "Olvidemos los estrógenos". La mayoría de las mujeres no se atreven a decirles esto a sus médicos. Lo que hacen con cierta frecuencia es recibir la nueva prescripción y no seguirla.

Stephen A. Brunton, M.D., profesor de medicina familiar en la Universidad de California en Irvine, realizó una investigación para verificar la satisfacción de las pacientes, la cual fue publicada en *Today's Therapeutic Trends, 1996*, y mostró por qué las pacientes con frecuencia no cumplen con el tratamiento. El estudio se denominó "Estrogen Replacement Therapy (ERT): Results of a Patient Satisfaction Survey of Women Receiving ERT and Implications for Treatment" (Terapia de sustitución estrogénica: Resultados de una encuesta sobre satisfacción de las mujeres sometidas a TSE. Posibles implicaciones para el tratamiento). El objetivo de ésta era confirmar los resultados de algunos estudios clínicos anteriores que mostraban que no todas las mujeres experimentaban un alivio total de los síntomas y contrastar la satisfacción de algunas mujeres con el tipo de terapia a la que estaban sometidas (con vista a discutir las opciones terapéuticas).

Los resultados no fueron sorprendentes. Las doscientas mujeres recibiendo TSE por vía oral que respondieron a la encuesta telefónica afirmaron que la razón principal para iniciar la TSE fue la de elimiar los calores y los sudores nocturnos. 64 % de estas mujeres estaban tomando Premarin y 21 % estaban tomando Estrace. Tres cuartos de las mujeres encuestadas estaban entre los cuarenta y uno y los sesenta años; 11 % eran de cuarenta o menos y 15 %, mayores de sesenta. Más de un tercio de las mujeres encuestadas informaron que su prescripción había sido modificada al menos una vez y más de dos tercios se habían cambiado a otra modalidad debido a que la inicial no les estaba aliviando los síntomas.

Revisemos los resultados. Cuando se les preguntó por qué habían empezado la terapia de sustitución estrogénica dijeron que querían alivio de o estaban angustiadas por:

Los calores y sudores nocturnos	73 %
La prevención/tratamiento de la osteoporosis	55 %

Los cambios en los estados de ánimo	54 %
La resequedad vaginal	42 %
El cansancio	40 %
El insomnio	39 %
La irregularidad en la menstruación	27 %

Lo más preocupante es que 47 % de las mujeres dijeron que no habían informado a sus médicos que los síntomas no habían cedido a pesar de estar en tratamiento. Por esto yo aconsejo seriamente a las mujeres hablar con su médico e informarle que la fórmula actual no les ha producido ningún alivio. "En realidad no me está sirviendo. ¿Por qué no ensayamos otra cosa?" Esto es mucho mejor que simplemente dejar la terapia, sin informar al médico. De hecho, si quiere o necesita suspender la terapia, no lo haga de un momento para otro. La respuesta a la pregunta 21, en el capítulo 2, le ofrece algunas sugerencias de cómo hacerlo. Revise las posibilidades con su médico, éste puede tener una idea mejor.

77 ¿En qué concentraciones viene Premarin y cuáles son los beneficios o inconvenientes de cada una de ellas?

Como se mencionó antes, Premarin —la tableta oral— viene en tres distintas concentraciones. En el momento en el que estoy escribiendo este libro, Premarin es el medicamento más ampliamente prescrito en los Estados Unidos y lo ha sido durante muchos años. También está disponible en muchas partes del mundo. Hubo una cierta preocupación de que la dosis más baja, la tableta de 0.3 miligramos, no produjera suficiente protección a los huesos. No se han estudiado los posibles efectos cardioprotectores, aunque puede producir alivio de los síntomas menopáusicos en algunas mujeres. La dosis más comúnmente prescrita es la tableta de 0.625 miligramos. A partir de esta dosis el médico puede bajar o subir la dosis según las necesidades de cada paciente. El Premarin debería hacer desaparecer o disminuir considerablemente los calores y los sudores nocturnos, y mejorar la lubricación vaginal, reduciendo así el riesgo de infecciones vaginales y haciendo de nuevo placentera la relación sexual. Las otras tres dosis son mayores. Hay una tableta que contiene 0.9 miligramos, otra con 1.25 miligramos y otra con 2.5 miligramos. Puede haber una dosis de Premarin que haga sentir cómoda a cada una de las mujeres que lo toman.

78 Estoy tomando Estrace, pero algunas veces no siento alivio para los calores más fuertes. ¿Debo tomar algo diferente?

Estrace está disponible en varias concentraciones. Probablemente, la píldora que está tomando es la de 1 miligramo. También está la píldora de 2 miligramos, es decir, el doble de la que está tomando. Consulte con su médico sobre la posibilidad de aumentar la dosis. Algunas veces basta con aumentarla por un corto período de tiempo. He hablado con muchas mujeres que han cambiado la dosis de la TSE o la TSH varias veces en el transcurso de diez a quince años. Parece que a veces nuestro organismo sencillamente se acostumbra a un medicamento y deja de trabajar como antes. Conozco muchas mujeres que hacen los cambios necesarios tan pronto como su nivel de comodidad disminuye. También hay mujeres que siguen tomando un preparado sin mucho éxito, o que simplemente renuncian a la terapia. Esto me parece un error, si tenemos en cuenta todas las investigaciones sobre beneficios a largo plazo de los estrógenos.

79 Estoy tomando Premarin de 0.625 miligramos durante veinticinco días, y añado 10 miligramos de Provera (un progestágeno) durante los últimos doce días. Luego dejo de tomar las dos y entonces tengo el período. No me molesta tanto el período como los síntomas del síndrome premenstrual (SPM) que se manifiestan poco después de empezar a tomar Provera. ¿No se podrán ajustar las dosis para que deje de experimentar estos síntomas por el resto de mi vida?

Las dosis pueden y deberían ajustarse. A menudo cuando experimentamos gases, incomodidades emocionales y una necesidad imperiosa de comer cosas prohibidas, es tiempo de que se haga una revisión cuidadosa de la cantidad de progestágeno que estamos tomando. Como se mencionó antes, los estrógenos producen un efecto tonificador emocional, pero el progestágeno puede ser el causante de la depresión del síndrome pre-menstrual. Suele ser el malo del paseo. Consulte con su médico la posibilidad de reducir el progestágeno (muchas mujeres toman sólo 5 miligramos) o de cambiar el tipo de progestágeno que está tomando. Por ejemplo, la progesterona oral micronizada que preparan en las farmacias especializadas según fórmula magistral, por lo general disminuye el SPM o lo hace desaparecer totalmente. Algunos médicos creen que no hay necesidad de tomar el progestágeno todos los meses y sugieren que se tome un mes sí y otro no, o también que se tome trimestralmente.

También hay mujeres como mi amiga Elizabeth. Se deprime tanto con el progestágeno que decidió dejarlo definitivamente y lo cambió por la toma de una muestra del endometrio en el consultorio de su ginecólogo cada seis meses, para asegurarse de que éste no se está engrosando. Usted también puede considerar un cambio total de régimen. En el capítulo 7 encontrará información acerca de regímenes continuados de estrógenos y progestágeno (en dosis muy pequeñas), que pueden desterrar el SPM y en un lapso de aproximadamente seis meses acabar con el período menstrual.

No importa qué, pero haga algo. No hay razón para continuar sufriendo como lo han hecho muchas mujeres que no saben que tienen muchas opciones para escoger.

80 ¿Cuál es la terapia de suplencia hormonal más fácil?

Creo que quizá Prempro sea la más sencilla. Una tableta contiene 0.625 miligramos de estrógenos equinos conjugados y 2.5 miligramos de acetato de medroxiprogesterona (un progestágeno sintético). Se toma una diaria todos los días del año. Algunas mujeres me han dicho que experimentan ciertos problemas relacionados con goteo o sangrado, pero la mayoría me dicen que les encanta la facilidad que representa tomar solamente una tableta.

Prempro es el producto que han utilizado en el estudio HERS (ver pregunta 56). Según Stephen B. Hulley, M.D., profesor en la UCSF y uno de los directores del estudio: "Basándonos en los resultados de este estudio, no recomendamos que se inicie la terapia de suplencia hormonal para prevenir ataques cardíacos en mujeres postmenopáusicas con enfermedad cardíaca. No se observó un resultado favorable global durante los cuatro años del estudio y el riesgo de ataque cardíaco parecía acrecentarse poco después de iniciar la terapia. Pero las mujeres que ya están en la terapia pueden continuarla dado que hay una aparente reducción en la incidencia de ataque cardíaco después de varios años". Otros médicos sugieren que este estudio ha sido demasiado corto para poder demostrar los beneficios. Permanezca atenta.

81 Estoy tras una dosis muy baja de estrógenos, apenas lo suficiente para acabar con estos malditos calores y sudores nocturnos. En este momento no me preocupo por los síntomas a largo plazo, sólo quiero salir de esta pesadez caliente y sudorosa. ¿Hay algo que pueda ayudarme?

En 1997 se lanzó al mercado un nuevo parche de dosis bajas de estrógenos llamado Fempatch. Libera una dosis muy baja de estradiol, es decir sólo 0.025 miligramos. Lo que es mejor aún, sólo necesita un parche por semana. Ésta puede ser la dosis que necesita para olvidarse de los calores y los sudores nocturnos. Se afirma que el Fempatch también ayuda a corregir la resequedad vaginal. El único defecto del Fempatch es que esta dosis tan baja de estrógenos puede no servir para protegerla de la osteoporosis o de la enfermedad cardíaca.

82 He usado Estraderm parches aproximadamente cinco años y he tenido ciertas dificultades con la dosificación. Algunas veces el de 0.05 miligramos no es suficiente para contrarrestar mis síntomas, pero no me he animado a usar el otro que tiene 0.1 miligramos. A veces he usado el parche más grande cubriendo una parte del mismo con cinta, para obtener así una dosis que esté entre las dos. La compañía ha lanzado un nuevo parche con una dosis intermedia, unos tres cuartos de la dosis anterior. No sé bien qué hacer. ¿Puede aclarar mi confusión?

Estraderm fue el primer sistema transdérmico para la terapia de sustitución estrogénica aprobado por la FDA a mediados de los años 80. Todavía viene en dos concentraciones: 0.05 y 0.1 miligramos. Es el parche de depósito ya descrito en el capítulo 5. En 1996 la misma compañía desarrolló otro parche de estradiol y lo llamó Vivelle. Es un parche de matriz, lo que quiere decir que los estrógenos y el material adhesivo están mezclados. Vivelle es un poco más pequeño que Estraderm y viene en cuatro concentraciones: 0.375, 0.05, 0.075 y 0.1 miligramos, lo cual proporciona mayor flexibilidad en la dosificación. Es posible que aquí esté la respuesta a su consulta. Algunas mujeres adoran el Estraderm, otras Vivelle, y han comprobado que éste último no les produce irritación cutánea y les posibilita optar por una dosis más adecuada a sus necesidades. Los dos deben cambiarse dos veces por semana.

83 No soporto tener que aplicarme la crema vaginal cada dos días, pero cuando no lo hago me veo en problemas. Necesito ir al baño cada dos minutos con la angustia de no alcanzar a llegar y la simple idea de una relación sexual muy dolorosa hace que me quede en el baño casi toda la noche. He ensayado con supositorios de estrógenos, pero también son muy engorrosos. ¿No hay algo que yo pueda usar y que venga en dosis pequeñas?

Está Estring, un anillo flexible de estrógenos que puede colocarse en la vagina y dejarse allí durante noventa días. Libera una dosis continua de estrógenos y se supone que alivia la resequedad vaginal y la urgencia urinaria. Estring libera una dosis tan baja de estrógenos, un total de 2 miligramos en los noventa días que, según Mary K. Beard, M.D., profesora asociada de obstetricia y ginecología en la Universidad de Utah, produce muy poco efecto sobre los tejidos de seno y útero y puede ser una opción para las mujeres que tienen una historia personal o familiar de cáncer de seno.

84 ¡Ayúdeme, por favor! Estoy tomando estrógenos pero sigo experimentando los síntomas de la menopausia y me siento fatal. He oído que los calores, los sudores nocturnos y la vagina seca y con comezón son conocidos como los síntomas fastidiosos de la menopausia. Para mí son algo más que un fastidio — están afectando profundamente mi vida. ¿Qué puedo hacer?

Lo que tiene que hacer es volver al consultorio de su médico y quejarse de la marca y la dosificación de los estrógenos que está tomando, porque no le sirven para aliviar sus síntomas. Como hemos visto hasta aquí, hay muchas alternativas de dónde escoger y por eso debe hablar con su médico.

Sigue siendo un enigma para mí que mujeres inteligentes y activas no estén completamente conscientes de la información acerca de los estrógenos, como saber que hay distintos productos, fabricados a partir de distintas fuentes de estrógenos y disponibles en concentraciones diferentes. A veces en realidad no es culpa de la mujer sino del médico que, como hemos visto antes, puede tender a formular la misma dosis a todas sus pacientes. Casi puedo entender esa actitud. Es más fácil para el médico y funciona para muchas mujeres. Como explica el Dr. Jeffrey Chang: "Los médicos con frecuencia se acomodan con un producto, lo saben todo acerca del mismo y debido a esto lo formulan con más frecuencia". El problema es que no funciona para algunas mujeres y entonces es su responsabilidad regresar a donde el médico y decirle con firmeza que sus síntomas no han cedido. Es bastante útil que usted, la paciente, llegue a esa cita con un buen bagaje de información acerca de las distintas posibilidades que hay.

85 ¿Me ayudará tomar vitamina E junto con los estrógenos, para deshacerme de estos calores persistentes?

Es importante que esté informada de los efectos de la vitamina E, pues aunque en el momento de escribir este libro aún no se dispone de pruebas científicas sólidas de que la vitamina E pueda contrarrestar los calores y los sudores nocturnos, en realidad sí ayuda a muchas mujeres. Sé que este tipo de afirmación suele ser descartada como evidencia anecdótica, pero es importante que usted sea consciente de las propiedades de la vitamina E. (En los capítulos 10 y 11 encontrará más información acerca de la vitamina E y otras vitaminas y minerales que pueden servirle). Por favor no olvide que tomar dosis exageradas de cualquier medicamento puede ser peligroso. La vitamina E suele estar contraindicada en mujeres con tensión arterial alta, diabetes o enfermedad cardíaca reumática, y no debe ser consumida por nadie que esté tomando digitalina.

86 ¿Hay alguna diferencia en el contenido de estrógenos de las píldoras anticonceptivas y las que se utilizan en la terapia de sustitución estrogénica?

Sí hay una diferencia y grande. Incluso las nuevas píldoras anticonceptivas, de dosis bajas, contienen muchos más estrógenos que las utilizadas para las terapias de sustitución estrogénica y de suplencia hormonal, cuyo objetivo es contrarrestar o erradicar totalmente los síntomas de la menopausia. La sustitución estrogénica no suele prescribirse a mujeres con historia de inflamaciones en las venas (flebitis) o con coágulos en la sangre (embolias), especialmente si estos problemas tuvieron alguna relación con las píldoras anticonceptivas.

También se tienen informaciones que relacionan las píldoras anticonceptivas con posibles elevaciones de la tensión arterial, algo que no parece suceder con la terapia de sustitución estrogénica, pero su médico sin duda alguna le controlará la tensión arterial en cada consulta. Si se observa alguna tendencia a un aumento de tensión, es posible que su médico le indique dejar los estrógenos orales y le prescriba alguno de los sistemas transdérmicos disponibles, ya que al evitar inicialmente el paso por el hígado, el parche puede solucionar el problema de una tensión arterial alta.

87 ¿Cómo hacen los médicos para decidir con qué dosis de estrógenos debe comenzar una paciente?

He discutido este punto con varios médicos. La mayoría tenderán a prescribir la terapia de acuerdo con la gravedad de los síntomas y la salud general de la paciente. Por otra parte, también tendrán en cuenta los antecedentes personales y familiares. Lo corriente es que se inicie la terapia con una dosis media, se observe si es la adecuada para usted y en caso contrario se hagan modificaciones. Sin embargo, aquí también tiene responsabilidad usted. Es importante que mantenga a su médico informado de su tolerancia a la dosis y del efecto que ésta le ha producido. Lograr una dosificación adecuada de estrógenos es una ruta de doble vía. Usted informa, el médico escucha y juntos escogen la nueva dosis que van a ensayar.

7

¿QUÉ OTROS REGÍMENES PUEDO CONSIDERAR?

Cuando usted ya ha tomado la decisión de tomar estrógenos y sabe acerca de los diferentes productos disponibles y sus concentraciones, el siguiente paso es pensar cuál es el plan o régimen que va a seguir. De nuevo aquí, antes de hacer esta elección, es importante que conozca y comprenda las diferentes formas en las que puede tomar los estrógenos. Y cuando decida qué regimen comenzar, tenga en cuenta que su decisión no tiene que ser para siempre. El cambio de un régimen a otro es tan sencillo como el cambio de un producto a otro, o de la dosis del mismo. No hay ninguna fórmula o prescripción que sirva para todas las mujeres. Encontrar el régimen de estrógenos que le conviene a usted puede exigir varios ajustes y en algunos casos será preciso un trabajo detallado de adaptación personal. No dude nunca en consultar a su médico cuando sienta que la dosis o fórmula prescrita no le está sirviendo. No sienta vergüenza, ni piense que está molestando mucho al doctor; simplemente piense que necesita sentirse bien y quizá vivir más tiempo después de completar el rompecabezas de los estrógenos, para que éste responda a sus necesidades. Se trata, en términos ideales, de darle forma a una terapia de sustitución estrogénica que le acomode a usted, que elimine los síntomas desagradables y que no le produzca efectos secundarios negativos. Usted es la única persona que puede saber si el tratamiento le está produciendo los resultados que busca, y a usted le corresponde trabajar en llave con su médico para lograrlo.

Hasta llegar a ese punto, es posible que tenga que enfrentar desajustes y reajustes, decepciones e incomodidades. Me atrevo a sugerir que buscar la dosis adecuada de estrógenos es un proceso similar al de medirse un abrigo o un traje formal, diseñado y hecho a su medida. En este caso es necesario ir una y otra vez a la modista para hacer las pruebas y las correcciones necesarias, a fin de que la prenda le quede perfectamente. Piense en esto cuando esté en el proceso de ajuste de la terapia de sustitución estrogénica. Si siente que no le acomoda, o no le produce el efecto deseado, como en el caso del traje, se necesitan modificaciones. Ahora que es consciente de las diferentes presentaciones y posibilidades de un tratamiento con estrógenos, puede buscar uno que le convenga y las diferentes formas de adaptarlo. Sé que esto de los ajustes puede ser fastidioso, pero cuando los objetivos que se propone son alivio a corto plazo y salud a largo plazo, todas las modificaciones valen la pena.

88 Mi útero está intacto y sé que necesito la terapia de suplencia hormonal, es decir, la que contempla tanto estrógenos como progestágeno. ¿Qué regímenes terapéuticos puedo considerar?

Aun cuando usted necesita proteger el revestimiento interno de su útero tomando las dos hormonas sexuales femeninas, debe tener en cuenta que hay distintas formas de lograrlo. Los tratamientos más comunes en su caso son la denominada terapia combinada secuencial y la terapia combinada continua.

La terapia secuencial está diseñada para producir en su cuerpo una imitación del ciclo menstrual premenopáusico. Toma estrógenos durante veinticinco días seguidos, a partir del primer día del mes. Entre los días 13 y 15 ó 16 —según lo decida con su médico— debe añadir el progestágeno. Entonces toma tanto estrógeno como progestágeno hasta el día 25 y luego deja los dos medicamentos. Inmediatamente después empezará a experimentar lo que se denomina un sangrado por supresión. Esto simplemente quiere decir que ha suprimido los medicamentos y, cuando lo hace, se le presentará un período menstrual. (En caso de presentar sangrado en cualquier otro momento del ciclo, debe informar de inmediato a su médico.)

Presentar un período durante la terapia secuencial tiene sentido puesto que usted está tomando las hormonas literalmente en la misma forma en que su cuerpo las produjo y organizó desde su pubertad. Hay un buen número de mujeres que me ha comentado: "Me gusta tener mi período, me hace sentir joven". Otras mujeres dicen: "Contaba con haber dejado atrás ese fastidio". Estas mujeres tienen otras opciones, aunque el método secuencial, con todo y las molestias, es el que se ha utilizado por más tiempo.

El nuevo método, que eventualmente elimina los períodos menstruales, es denominado la terapia combinada continua, en la cual se toman estrógenos y progestágeno todos los días del año. No hay un día preciso para la toma inicial, no hay que interrumpirla, y generalmente no se volverá a experimentar el período después de seis meses a un año. Pero ésta era la buena noticia. La mala es que es posible que quien use este método experimente una serie de periodos erráticos durante los primeros seis meses y hay muchas mujeres que rechazan la idea de tener que enfrentar estos sangrados intempestivos. He leído que una de cada dos mujeres que empiezan la terapia combinada continua la dejan antes de que se detenga su sangrado menstrual. Es posible que las mujeres mayores que inician esta terapia tengan menos problemas de sangrado y por tanto hay más posibilidades de que continúen con este régimen. Esta diferencia, según Isaac Shiff, M.D., jefe de obstetricia y ginecología del Massachusetts General Hospital, quizá se debe a que el revestimiento interno del útero de las mujeres de más edad es menos sensible a las hormonas. El régimen más apropiado para la terapia de suplencia hormonal es otra de las áreas que debe ser investigada más a fondo.

Hay otros regímenes, cuya prescripción es menos frecuente, que también producen efectos positivos en algunas mujeres. Conozco uno en el que el progestágeno se adiciona a los estrógenos durante los primeros doce días del mes. Un sangrado, similar al de una menstruación, suele producirse después del día 10. Este régimen es efectivo para algunas mujeres puesto que les permite saber con seguridad las fechas del período. En otro régimen, los estrógenos se utilizan en forma continua y el proges-tágeno se adiciona durante tres días, luego se suspende otros tres y se reanuda de nuevo otros tres, repitiendo el patrón durante todo el mes. Cuando planteé la posibilidad de este régimen a algunas mujeres, su reacción fue: "¡Me volvería loca! ¡Nunca lograría saber qué debo hacer!" Esto puede ser cierto; sin embargo, del reducido número de mujeres estudiadas que estaban sometidas a este patrón, ninguna experimentó ningún sangrado después de los primeros doce meses de tratamiento.

El régimen que me parece más cómodo es aquél en el que los estrógenos se usan continúamente todos los días del mes, añadiendo el progestágeno por diez a trece o catorce días cada tres meses. En estos casos usted puede experimentar un período más fuerte, pero solamente se le presenta cada trimestre, y si está bajo estricto control de su médico esto puede ser suficiente para evitar un excesivo crecimiento del tejido interno del útero. Recuerdo haber escuchado a Malcolm Pike, M.D., afirmar en una reunión de la North American Menopause Society hace unos años, que no hay ningún procedimiento mágico en la aplicación del progestágeno mensualmente y que hay otros regímenes adecuados y disponibles. Consulte con su médico para ver qué fórmula le conviene a usted.

89 Mi útero está intacto, pero no puedo soportar el progestágeno. Me deprime y me hace sentir muy infeliz. ¿No es posible simplemente suprimirlo y tomar sólo estrógenos?

Puede que sí y puede que no. Es posible que lo pueda hacer si su médico está de acuerdo y la dosis de estrógenos que toma es muy baja, y si está dispuesta a someterse a chequeos del endometrio con cierta regularidad. (No hay una opinión generalizada en lo que se refiere a la toma de estas muestras; para algunas mujeres es un procedimiento que no produce dolor alguno, mientras que para otras es algo doloroso.) Creo que si usted realmente no puede soportar los efectos secundarios del progestágeno, la solución puede ser tomar estrógenos y someterse a un cuidadoso seguimiento médico y a exámenes regulares del endometrio. Consulte esta posibilidad. También podría tomar progesterona micronizada en forma oral; ésta puede obtenerse en farmacias especializadas con la presentación de la fórmula médica. O Crinone, una progesterona natural en forma de gel vaginal, que utilizan algunos médicos en la terapia de suplencia hormonal. Crinone no fue aprobada por la FDA para este fin, pero sí para los tratamientos de infertilidad y para la ausencia de períodos en mujeres que han menstruado regularmente.

90 Si no tengo un útero por el cual preocuparme, ¿puedo tomar cualquier tipo de estrógenos?

Puede hacerlo de formas diferentes. Puede tomarlos durante veinticinco días al mes, con una semana de descanso, o en forma continua sin tener que preocuparse por ninguna programación. Si escoge suspender durante una semana, es posible que experimente un retroceso en la sintomatología; por tanto hay muchas mujeres que consideran que no vale la pena optar por este método. Yo he experimentado que al suspender los estrógenos, al tercer día, empiezo a sentir los calores y luego la peor de las sudoraciones nocturnas. Luego, en la mitad de la semana, mi corazón empieza a palpitar aceleradamente de nuevo. De pronto vale la pena que ensaye, sólo para ver si en realidad se ha liberado de los síntomas. Ése no es mi caso.

91 ¿A qué se refiere la gente cuando habla del "cóctel" de hormonas?

Ignoro por qué, desde que se empezó a adicionar la testosterona, la llamada hormona masculina, se habla del "cóctel de hormonas". Lo que sé es que dicha hormona es la hormona del deseo y que cuando se adiciona a su terapia de suplencia hormonal, debe ser tomada junto con los estrógenos.

Según Estelle Ramey, M.D., profesora emérita de de la Escuela de Medicina de la Universidad de Georgetown, no todas las mujeres experimentan una pérdida de la libido después de la menopausia, sino sólo un 30 % de ellas. Estas mujeres, a muchas de las cuales he tenido la oportunidad de entrevistar, se sienten profundamente afectadas por la pérdida del deseo sexual.

Bueno, hay posibilidades de solucionar este problema. Sólo un poco de testosterona puede hacerla de nuevo dueña de su yo sexual. Sé que puede ser difícil abordar este tema con su médico, pero éste es un tema de vital importancia. Por tanto, si quiere ayuda, hable. Creo que los médicos deberían siempre plantearnos dos preguntas relacionadas con nuestra vida sexual en el examen o consulta: ¿Tiene una vida sexualmente activa? ¿Se siente satisfecha sexualmente? Por lo general esto no sucede. Le incumbe a usted romper el hielo y traer a cuento el tema de su libido. Si le incomoda abordar el tema, escriba la pregunta y pásele el papel. Cualquier forma de introducir el tema es bienvenida.

En la respuesta a la pregunta 31, del capítulo 3, describí cómo funciona la testosterona y por qué las mujeres pueden perder ese poquito que les corresponde cuando se pierden las otras hormonas durante la menopausia. Quizá debería considerar la posibilidad de añadir testosterona a su terapia de sustitución estrogénica o a su terapia de suplencia hormonal.

Si se prescribe la testosterona suele hacerse junto con los estrógenos, exceptuando el caso de la testosterona inyectada o en cápsulas subcutáneas en las nalgas. La inyección tiene una duración de un mes, y el implante aproximadamente tres meses. Pero también hay tabletas con la combinación estrógenos-testosterona. Estratest está en el mercado de Estados Unidos desde 1960, y ciertamente ha pasado la prueba del tiempo. Esta combinación de estrógenos-andrógeno en forma de tableta (estrógenos-testosterona) contiene estrógenos esterificados y metiltestosterona. La inyección por lo general contiene cipionato de estradiol y cipionato de testosterona. De acuerdo con Ted Quigley, endocrinólogo especializado en reproducción en California, uno de los primeros abogados de la terapia de sustitución con testosterona para las mujeres, el implante es de hecho un derivado de la soya. ¿Qué podría ser más natural?

8

¿QUÉ NOVEDADES ENCONTRAMOS EN LA TERAPIA DE SUPLENCIA HORMONAL?

Precisamente cuando pensamos que ya conocemos todo lo que puede ayudar a las mujeres durante la menopausia y los siguientes años, aparece un nuevo compuesto. El raloxifeno, ya mencionado, resulta emocionante. Es el primero de los que rápidamente se han denominado "estrógenos de diseño". La palabra "diseño" no remite a Donna Karan ni a Calvin Klein. Se refiere a una nueva clase de medicamentos llamados moduladores selectivos de los receptores de estrógenos o MSRE.

Añadiendo un elemento más a la posible confusión, los MSRE no son hormonas, pero pueden actuar como si lo fueran en algunos lugares específicos del cuerpo, como los huesos y el corazón, sin actuar como estrógenos en los senos y el útero. La idea de los estrógenos de diseño es bastante apropiada, siendo así que su objetivo es seleccionar cómo y cuándo actuar como si fueran estrógenos y cuándo inhibir los efectos de éstos.

Los MSRE tienen la capacidad de actuar sobre diferentes células receptoras de estrógenos, de maneras completamente diferentes. Los receptores de estrógenos, como usted recordará, pueden compararse con cerraduras en las células. Los MSRE pueden ser las llaves que abren esas cerraduras en algunas zonas del cuerpo, como el esqueleto y el sistema cardiovascular, mientras que son incapaces de abrir otros receptores de estrógenos en células de otras partes del cuerpo y entrar en ellas. Por ejemplo, no pueden decir "ábrete sésamo" para entrar en el útero y en el seno.

¿Qué significa esto? Puede querer decir que las mujeres que temen reemplazar los estrógenos debido a la posibilidad de contraer cáncer de seno, pueden estar interesadas en consumir este tipo de compuesto. Si tenemos en cuenta que menos del 20 % de mujeres menopáusicas y postmenopáusicas están sometiéndose a la terapia de suplencia hormonal y a la terapia de sustitución estrogénica, debemos pensar que no pueden someterse a ellas por razones médicas, o que prefieren no hacerlo debido a temores de uno u otro tipo. Los MSRE pueden significar una nueva victoria en la batalla encaminada a proporcionar medicamentos de sustitución para proteger a la mujer en su proceso de envejecimiento.

Raloxifeno, el más reciente MSRE, fue lanzado al mercado en enero de 1998, después de haber recibido la aprobación de la FDA en diciembre 9 de 1997. En realidad éste no es el primer MSRE. De hecho, hacia mediados de los años 80 se empezó a tener información acerca de otro MSRE, denominado tamoxifeno. Aunque no estaba catalogado como MSRE o "algo" de diseño en ese entonces, el tamoxifeno, utilizado principalmente en pacientes con cáncer de seno debido a sus efectos antiestrogénicos sobre el tejido del seno, también es capaz de competir con los estrógenos en algunos sitios receptores (el enfoque llave-cerradura), en donde se une al sitio e inhibie la expansión de las células cancerosas y la invasión de otras células. Así pues, el uso del tamoxifeno, debido a su capacidad de bloquear los estrógenos en el seno, ha sido muy importante en la lucha contra el cáncer de seno. A la inversa, el tamoxifeno también tiene la capacidad de actuar como estrógeno en el esqueleto y en el sistema cardiovascular, protegiendo los huesos —aun cuando no con la misma efectividad que los estrógenos— y el corazón, pues mantiene niveles adecuados de colesterol. El tamoxifeno también tiene su lado negativo. Se ha demostrado que puede producir cáncer del endometrio, debido a que ejerce efectos estrogénicos sobre el útero. Algunas mujeres que tomaban tamoxifeno después de haber sufrido cáncer de seno observaron que éste les potenciaba los calores. Además, algunos estudios empezaron a mostrar que si bien la utilización del tamoxifeno a corto plazo (aproximadamente cinco años) servía para proteger el seno, tomado durante diez años empezaba a producir efectos rayanos en el peligro, porque en ese período empezaba a estimular los tejidos del seno. El tamoxifeno, entonces, conviene decirlo, tiene a la vez efectos estrogénicos y antiestrogénicos.

Después se dieron dos desarrollos importantes relacionados con el tamoxifeno, que produjeron una gran alegría entre la comunidad científica y las mujeres del mundo entero. En primer lugar, el 30 de abril de 1998 Zeneca Pharmaceuticals anunció haber presentado una nueva solicitud a la FDA para buscar la aprobación del uso de su producto citrato de tamoxifeno (Nolvadex) en la prevención del cáncer de seno en mujeres de alto riesgo. Este hecho fue seguido por una decisión del Instituto Nacional de Cáncer de Estados Unidos y el National Surgical Adjuvant Breast and Bowel Project para solicitar que se detuviera el "Breast Cancer Prevention Trial" (Estudio para prevención de cáncer de seno), que debía realizar una investigación a cinco años comparando el Nolvadex con un placebo, en mujeres con alto riesgo de desarrollar cáncer de seno. El estudio se detuvo debido a los hallazgos favorables en la prevención del cáncer de seno.

Este anuncio fue seguido por otro, el 14 de mayo de 1998, en el que se informaban los resultados de un análisis realizado en un período de quince años, que mostró que Nolvadex tenía potencial para salvar la vida de miles de pacientes con cáncer de seno. Este estudio, que incluyó cincuenta y cinco estudios escogidos al azar con treinta y siete mil mujeres, demostró que una terapia de cinco años con tamoxifeno había reducido considerablemente la recurrencia de cáncer de seno y mejorado la sobrevida a diez años para todas las pacientes, sin tener en cuenta la edad, el estatus de la menopausia o si habían o no estado sometidas a quimioterapia.

En junio de 1997 la FDA había aprobado otro producto para el tratamiento de cáncer metastásico de seno. Fareston, un producto de Schering Plough, es un anti-estrógeno oral de una toma diaria, que se une a los receptores de estrógenos en células cancerosas y bloquea la acción de los estrógenos, estimulante de crecimiento tumoral. Fareston está indicado en mujeres postmenopáusicas con tumores positivos para receptores de estrógenos o tumores desconocidos. La estructura química del Fareston es diferente de la del tamoxifeno, pero los dos son medicamentos antiestrogénicos.

¿En qué sentido los MSRE han modificado la medicina? Han impulsado a los investigadores a estudiar más de cerca el efecto llave-cerradura. Gracias a esto se encontró que los receptores de estrógenos pueden diferir de una célula a otra. Por ejemplo, los receptores de estrógenos del seno y del útero, partes del cuerpo que han suscitado gran preocupación en lo que al cáncer se refiere. Ahora resulta que dichos receptores son algo diferentes, de modo que se puede bloquear la entrada de un MSRE al seno o al útero. En la actualidad se están estudiando productos de la misma familia de los MSRE y, por supuesto, todavía hay mucho que investigar en este campo.

92 ¿Podría por favor definir las palabras que se resumen en la sigla MSRE?

MSRE es la sigla para moduladores selectivos de los receptores de estrógenos. Hagamos una especie de disección de estas palabras, ofreciendo el significado con el cual se utilizan en el contexto de este nuevo grupo de compuestos:

Modulador: elemento que actúa para regular o activar algo.

Selectivo: actúa sólo sobre ciertas partes o áreas del cuerpo.

Estrógeno: la hormona femenina natural producida en los ovarios de la mujer. Los estrógenos actúan sobre muchas áreas en el cuerpo de la mujer.

Receptor: lugar específico en una célula del cuerpo, que puede abrirse o cerrarse gracias a la acción de una hormona natural, de un medicamento o de una hormona o sustancia obtenida de una mezcla.

Esta nueva clase de compuestos va a aportar elementos adicionales a los medios actualmente disponibles, para que las mujeres puedan gozar de una protección más completa de su salud durante la menopausia y en los años de la postmenopausia.

93 ¿Cuáles serían las funciones ideales de los MSRE?

Si la ciencia médica lograra obtener el MSRE ideal, éste tendría que proteger los huesos, los senos, el útero, el corazón, el cerebro, la piel y todas las otras partes del cuerpo que sufran o que puedan sufrir debido a la falta de estrógenos. Sería, sin duda alguna, la píldora mágica que todos buscamos. Para mí, sería la responsable de revertir el aumento de peso propio de la edad madura y me aseguraría que nunca perdería ni un punto de mi estatura. También me permitiría lucir bien en bikini y además gozar de una excelente salud todos los años de mi vida.

Obviamente estoy haciendo una broma, pero la verdad es que me sentiría bastante satisfecha con unos huesos, un corazón y un cerebro que fueran saludables durante toda mi vida, gozando además de protección contra el cáncer de seno. También me gustaría recordar el nombre y el apellido de las personas que conozco, tener siempre claro qué me proponía decir cuando empecé a hablar, saber en dónde puse las llaves del auto y las gafas, y tener la certeza de haber cerrado la puerta del garaje cuando salí de casa. Creo que todo esto puede ser posible.

94 Sé que la compañía Eli Lilly está estudiando el raloxifeno y que los datos que tienen hasta el momento sugieren que este compuesto, que estaba en estudio para la prevención de la osteoporosis, puede ir mucho más lejos e incluso llegar a ser una nueva posibilidad en la terapia encaminada a conservar la salud de las mujeres postmenopáusicas. ¿Qué demostraron finalmente los datos?

Los resultados de los ensayos clínicos con raloxifeno son muy significativos. Demostraron que el raloxifeno, comparado con un placebo con suplemento de calcio, fue eficaz en la prevención de la pérdida de la densidad ósea en la cadera y en la columna. Demostraron que este compuesto ayudaba a aumentar el contenido mineral óseo entre un 2 y un 3% en la cadera, en la columna y en el esqueleto en general. Este aumento en contenido mineral óseo —algo que todas tememos perder— fue significativo a los doce meses de aplicación y se mantuvo estable durante un período de veinticuatro meses. El grupo que estaba tomando el placebo mostró una pérdida constante de contenido mineral óseo en el período de veinticuatro meses. Según estos datos, las implicaciones en la protección de la osteoporosis son importantes. Después de todo, la osteoporosis, a pesar de ser una enfermedad que puede prevenirse, sigue ocupando el cuarto lugar dentro de las causas de muerte de la mujer.

Los efectos de raloxifeno sobre otros órganos del cuerpo

se estudiaron también durante los ensayos clínicos. Para analizar si el raloxifeno tenía efectos cardioprotectores, se hizo una evaluación de sus efectos sobre los lípidos sanguineos y se verificaron otros indicadores de riesgo de ataque cardíaco y cerebral; el estudio de seis meses se hizo con un total de 390 mujeres post-menopáusicas. Se encontró que el raloxifeno ayudaba a reducir el LDL y el colesterol total, que en niveles muy altos son factores de riesgo para un endurecimiento de las arterias y ataques cardíacos, sin alterar el colesterol HDL ni los triglicéridos. Por otra parte, el raloxifeno no estimula el crecimiento del tejido uterino, ni induce manchado o sangrado.

Es evidente que todavía falta mucho trabajo para perfeccionar los MSRE, pero Evista (raloxifeno) es la primera esperanza real para las mujeres con temor de sufrir cáncer de seno y que quieren beneficiarse de un tratamiento que les proporcione cierto alivio de los síntomas de la menopausia más fuertes y a largo plazo, entre ellos la osteoporosis. Algunos desarrollos recientes relacionados con los MSRE dan paso a la posibilidad de llegar a producir unos MSRE mucho más refinados, que tengan la capacidad de afectar células específicas.

La información sobre la cual se obtuvo la aprobación de la FDA para el raloxifeno es el resultado de dos años de investigación durante los cuales dos mil mujeres hicieron parte de ensayos clínicos centrados principalmente en los efectos del raloxifeno en la prevención de la osteoporosis. La revisión de la FDA en relación con este nuevo compuesto se cataloga dentro de lo que se denomina "revisión prioritaria". El raloxifeno, bajo el nombre de Evista, pudo ser prescrito en enero de 1998.

95 ¿Hay otros MSRE en trámite en la FDA?

Hay otros MSRE en proceso de investigación en muchos lugares del mundo, y el objetivo es estudiar su potencial en el tratamiento de cáncer de seno en estado avanzado. Los laboratorios Pfizer Pharmaceutical están estudiando la capacidad del droloxifeno para desacelerar el crecimiento de células cancerosas en el seno. De acuerdo con Allen Kraska, Ph.D., encargado de dirigir el proyecto de Pfizer, hay ciertas diferencias químicas entre el tamoxifeno, que ha sido utilizado ya hace varios años, y el droloxifeno. Su equipo de investigación está estudiando cómo actúa el droloxifeno, qué efectos produce sobre el útero y si contribuye o no a la reconstrucción de la masa ósea.

Hay otro laboratorio estudiando un MSRE denominado idoxifeno. Podemos estar casi seguros de que los laboratorios de diferentes compañías farmacéuticas, en el mundo entero, están trabajando para producir otros moduladores selectivos de los receptores de estrógenos, y que la aprobación de éstos debe estar en trámite. Pueden estar seguras de que pronto habrá noticias acerca de los MSRE.

96 Entonces, ¿hay posibilidades de que los MSRE lleguen algún día a reemplazar a la terapia de suplencia hormonal o a la terapia de sustitución estrogénica, o serán una alternativa?

Marla Ahlgrimm, R.Ph., presidente de Women's Health America, una farmacia especializada, no cree que los MSRE lleguen a reemplazar a los estrógenos. "Los MSRE no pueden reemplazar a las hormonas naturales. El estradiol (estrógeno) afecta entre trescientos y cuatrocientos sitios del cuerpo. Los MSRE han sido concebidos para actuar solamente en partes muy específicas del cuerpo". Según Elizabet Barrett-Connor, M.D., profesora y jefe de la división de epidemiología en la Escuela de Medicina de la Universidad de California en San Diego, es prematuro considerar que los MSRE puedan ser una alternativa para la terapia de suplencia hormonal.

Sin duda, el advenimiento de los MSRE representa un gran paso hacia adelante en cuanto a la salud de la mujer postmenopáusica se refiere, además de ser un arma muy importante dentro del arsenal para combatir ciertas enfermedades. Pero tenemos que comprender que como todas las cosas disponibles hasta el momento, será prácticamente imposible encontrar la solución perfecta para todas y cada una de las mujeres.

Hay otras investigaciones importantes que están en proceso, cuyo objetivo es explorar beneficios adicionales de los MSRE para las mujeres postmenopáusicas. En enero de 1998 se empezó a realizar el estudio denominado "Osteoporosis Prevention and Artery Effects of Tibolone (OPAL)" (Prevención de la Osteoporosis y Efectos del Tibolone sobre las Arterias). Este estudio se está realizando con el patrocinio de Organon Ltd., y se propone analizar los efectos del tibolone, otro MSRE, sobre los cambios en el espesor de las paredes de la arteria carótida, de los huesos y de los factores de riesgo cardiovasculares. Son diez instituciones comprometidas en la investigación, cinco en Europa y cinco en los Estados Unidos. Se ha programado ésta hasta septiembre del 2001. El investigador principal en los Estados Unidos es Robert D. Langer, M.D., M.P.H., profesor asociado de medicina familiar y preventiva en la Universidad de California, San Diego.

A finales de marzo de 1998, la compañía Eli Lilly anunció la iniciación de un gran ensayo clínico prospectivo denominado "Raloxifene Use for the Heart (RUTH)" (Uso de raloxifeno para el corazón). El objetivo de este ensayo es determinar la efectividad de Evista en la prevención de ataques cardíacos y muertes causadas por enfermedades cardíacas en mujeres postmenopáusicas. En esta investigación participarán veinticinco países y cerca de diez mil mujeres postmenopáusicas con riesgo de sufrir un ataque cardíaco. Su duración se estima entre siete y diez años, y su investigadora principal es la doctora Elizabeth Barrett-Connor.

Los datos parciales de la investigación en curso denominada "Evista Osteoporosis Trials" (Investigación sobre la osteoporosis y Evista), presentados en la reunión de la American Society of Clinical Oncology (Sociedad Estadounidense de Oncología Clínica), demostró la reducción de más del 50 % en la incidencia de cáncer de seno entre las mujeres que forman parte de esta investigación. En realidad hubo dos presentaciones diferentes de los datos obtenidos. La primera, a cargo de Steven R. Cummings, profesor de medicina y epidemiología de la Universidad de California en San Francisco, estudió los casos de 7.705 mujeres que formaban parte de un tratamiento único para la osteoporosis y que mostró una reducción del 70 % en la incidencia de cánceres invasivos de seno diagnosticados recientemente, en un período de seguimiento de treinta y tres meses. El segundo, un informe presentado por V. Craig Jordan, Ph.D., director de investigación en cáncer de seno del Robert H. Lurie Cancer Center, Northwestern University, recogió información obtenida en el estudio de 10.553 mujeres postmenopáusicas (incluyendo las que formaron parte del estudio de Cummings), entre nueve estudios diferentes, controlados con placebo, de prevención y tratamiento de osteoporosis. El informe de Jordan arrojó una reducción del 54 % en la incidencia de cáncer de seno recién diagnosticado durante el mismo período.

¿Qué significa esto? En principio buenas noticias para las mujeres postmenopáusicas. Hay además más investigaciones en marcha que usted debe conocer. Por ejemplo, un estudio denominado "The Multiple Outcomes of Raloxifene Evaluation (MORE)" (Diversos resultados de la evaluación del Raloxifeno), diseñado para evaluar la efectividad de Evista en el tratamiento de mujeres postmenopáusicas con osteoporosis y para prevenir la incidencia de fracturas. Los resultados parciales del estudio MORE fueron presentados el 14 de septiembre de 1998, en la reunión anual del Congreso de Osteoporosis realizado en Berlín, Alemania. Según ellos, Evista redujo casi a la mitad el riesgo de fracturas nuevas de la columna en mujeres postmenopáusicas después de dos años de tratamiento. Todavía hay más. El National Surgical Adjuvant Breast and Bowel Project (NSABP) ha anunciado que está programada la iniciación de un nuevo ensayo a gran escala de prevención del cáncer de seno, denominado STAR. Éste será un ensayo doble-ciego (lo que significa que ni las participantes ni los investigadores sabrán quién está recibiendo qué droga), al azar, en el que 22.000 mujeres postmenopáusicas con riesgo aumentado de cáncer de seno, mayores de treinta y cinco años, serán asignadas para tomar tamoxifeno o raloxifeno orales por cinco años. Los investigadores del NSABP calculan que más de trescientas instituciones de los Estados Unidos, Canadá y Puerto Rico participarán en este ensayo.

TERCERA PARTE

FITOESTRÓGENOS — LAS PLANTAS Y OTRAS ALTERNATIVAS

9

¿CUÁLES SON LOS ESTRÓGENOS VEGETALES?

Estamos entrando en un área aún muy poco clara en relación con la terapia de sustitución estrogénica y es la relacionada con los fitoestrógenos, palabra cuyo significado más sencillo es estrógenos vegetales. "Fito" viene de la raíz griega "phytón", que quiere decir 'planta'. Una discusión en la que se intente comparar los estrógenos farmacéuticos, o estrógenos sintéticos, como se les denomina también, con los estrógenos vegetales puede llegar a ser bastante acalorada. Las bases de la discusión, en mi opinión, generalmente surgen de una concepción según la cual los tratamientos y las terapias "naturales" son mejores, sea lo que sea lo que se entienda por "natural" en este contexto. Para tratar de evitar las discrepancias y con el ánimo de conservar una postura equilibrada, refirámonos de ahora en adelante a los fitoestrógenos como la aproximación "no-hormonal" para tratar la menopausia.

De hecho los fitoestrógenos tienen un enorme parecido a los estrógenos humanos y con frecuencia simulan la forma en la que los estrógenos actúan en nuestro cuerpo. Se dice que los fitoestrógenos se encuentran en más de trescientas plantas y que pueden hacer maravillas sin producir efectos negativos — esto si estuviéramos seguros de la cantidad que se necesita, ya sea utilizando una sola planta o un conjunto de ellas para contrarrestar los síntomas de la menopausia a corto y a largo plazo. En la misma forma que los estrógenos farmacéuticos, los compuestos procedentes de plantas tienen un parecido estructural con los estrógenos humanos y como éstos parecen tener la capacidad de ubicar su objetivo y penetrar en el receptor estrogénico humano. Los estrógenos vegetales son mucho más débiles que los farmacéuticos, a pesar de lo cual, en algunas mujeres producen un alivio completo de los síntomas molestos de la menopausia.

Poco a poco, y más en unos lugares que en otros, la comunidad científica del mundo entero ha empezado a considerar seriamente los fitoestrógenos. Desde mediados del siglo veinte se han realizado estudios de un cubrimiento limitado, pero que revisten gran importancia con el ñame silvestre. En 1990 se publicó un informe en el *British Medical Journal,* según el cual investigadores australianos describían un experimento con fitoestrógenos y veinticinco mujeres postmenopáusicas. Éstas consumían alimentos que contenían una gran cantidad de estrógenos vegetales, como la harina de soya y la linaza, y se llegó a comprobar una respuesta de bajo nivel de estrógenos con una sintomatología muy débil en lo que a los calores se refiere y una ligera corrección de la depresión menor.

Los estudios hasta la fecha han sido relativamente pequeños, pero los efectos son notables. Esto no debería sorprendernos si tenemos en cuenta que los heterósidos cardíacos, unas de las medicinas más importantes para el corazón, se producen a partir de la digitalina o dedalera, y que los fármacos de origen vegetal son la fuente de algunas de las medicinas más importantes. Desperdiciamos el tiempo tratando de defender los productos fitoquímicos frente a las terapias farmacológicas y vice versa, cuando lo ideal sería que lográramos encontrar los mejores productos para la salud de la mujer a largo plazo.

Creo que la dicotomía entre las terapias hormonales y no-hormonales surge del hecho de que una buena parte de los cuarenta a cincuenta millones de mujeres en edad madura en los Estados Unidos que están en situación de someterse a la terapia con hormonas farmacéuticas, han decidido no hacerlo. Las cifras varían, pero la mayoría de las fuentes indican que cerca del 80 % de las mujeres rechazan la idea de tomar estrógenos farmacéuticos o estrógenos combinados con progestágeno, cuando su útero está intacto. La mayoría de las mujeres con quienes he conversado detenidamente me plantean el temor al cáncer de seno como la razón número uno para este rechazo; en segundo lugar, el temor a experimentar otros efectos negativos a largo plazo, y en tercer lugar, el argumento: "Yo me niego a tomar medicamentos". Otras razones que plantean las mujeres para resistirse a la terapia de suplencia hormonal o a la terapia de sustitución estrogénica son: la molestia de los manchados, la molestia que implica seguir menstruando, la incomodidad que les produce una mayor sensibilidad de los senos y la preocupación que les produce ganar peso. Pero muchas de estas mujeres muestran distintos grados de interés en los fitoestrógenos. Éste es el resultado de un creciente cuerpo de evidencia científica a nivel mundial que sugiere que los estrógenos débiles de las plantas pueden ser útiles para el manejo de los síntomas molestos de la menopausia — calores, sudoración nocturna, insomnio y sequedad vaginal — y pueden también ofrecer algunos beneficios a largo plazo sobre los sistemas óseo y cardiovascular. Algunos estudios epidemiológicos han indicado que en poblaciones como la japonesa, cuya alimentación corriente es alta en fitoestrógenos, aparentemente hay una incidencia significativamente menor de enfermedades cardiovasculares, cáncer de seno y — lo que constituye una información de relativa importancia para los hombres — cáncer de próstata.

Ahora bien, estos fitoestrógenos pueden ser la solución para muchas mujeres, pero antes de arrimarse al sol que más caliente, por el momento hay muchas cosas que usted debe saber. Como lo he dicho ya una y otra vez, estos años en los que he dictado conferencias y dirigido seminarios sobre la menopausia y la osteoporosis, su opción debe ser la de tratar de aprender cuanto pueda acerca de unos y otros, sin importar si se decide por los fármacos o por los estrógenos vegetales. Entonces, dediquemos algún tiempo a los fitoestrógenos.

97 ¿Cuántas clases, o tipos, de fitoestrógenos hay?

Las *isoflavonas*, los *lignanos* y los *cumestanos* son las tres clases de fitoestrógenos. Las isoflavonas se encuentran en la soya, las lentejas y algunas otras leguminosas como los fríjoles y las alubias. Los lignanos se encuentran en la linaza, en algunos granos, en el pan, en los vegetales y en las frutas. Los cumestanos se encuentran en los brotes de algunas semillas como la alfalfa y las cosechas de pienso. Muchas plantas contienen fitoestrógenos, pero las que pertenecen a la categoría de las isoflavonas son las que ofrecen una actividad estrogénica más parecida a la de los humanos.

Las principales isoflavonas son el *genistein*, el *diadzein* y el *equol*. Los principales lignanos son la *enterolactona* y el *enterodiol*. No nos ocuparemos de los cumestanos, porque éstos se encuentran principalmente en alimentos para animales. Lo que se va haciendo evidente a medida que avanzamos es que la dieta es vital para nuestra salud antes, durante y después de la menopausia. Un estudio publicado en el *British Medical Journal* describe cómo añadiendo más fitoestrógenos a nuestra dieta, podemos modificar la forma en la que la menopausia nos afecta.

Un nuevo suplemento alimenticio de estrógenos naturales, denominado Promensil, para mujeres que están experimentando los cambios de la edad madura, salió al mercado estadounidense a mediados de 1998. Producido por Novogen, es un derivado del trébol rojo, que es una de las fuentes naturales más ricas en estrógenos vegetales de la familia de las isoflavonas. Sería una buena opción para usted, si está considerando tomar estrógenos vegetales.

98 ¿Cuáles son las mejores fuentes de isoflavonas?

La soya, bajo todas sus presentaciones. Parece ser que la soya puede llegar a convertirse en una de nuestras píldoras mágicas. Hay indicios de que disminuye los síntomas de la menopausia y ayuda a prevenir la osteoporosis, la enfermedad cardíaca y el cáncer de seno, todo a la vez. La dieta de los japoneses es abundante en soya, y las japonesas presentan una incidencia menor de osteoporosis, enfermedad cardíaca, cáncer de seno y calores menopáusicos que las mujeres occidentales. Todo esto parece estar relacionado con la presencia de grandes cantidades de proteína de soya en su dieta diaria. Hay una buena cantidad de estudios en proceso, cuyo objetivo es verificar cuáles son los efectos totales de la proteína de soya en la dieta y determinar qué tanta necesitamos. Los granos de soya contienen las dos principales isoflavonas: el genistein y el diadzein.

Algunos estudios ya sugieren que con una sola porción al día de algún alimento de soya — ocho onzas de leche de soya o $^1/_2$ taza de tofu — se puede disminuir el riesgo de padecer algunos tipos de cáncer. A la soya se le atribuyen muchos efectos benéficos, pero como en el caso de la vitamina E, estos efectos no han sido estudiados en forma rigurosa, o no se han estudiado. Sin embargo, parece que como la mayoría de las mujeres asiáticas consumen aproximadamente 100 miligramos más de soya al día que las occidentales, quienes por lo general sólo consumen entre 1 y 3 miligramos al día, podríamos aumentar nuestro consumo de soya, sin ningún problema y posiblemente con muy buenos resultados.

99 ¿Podría indicarme algunas fuentes de soya?

Tenemos los granos de soya frescos, pero sólo puede conseguirlos en las tiendas de alimentos asiáticos o en los menús de algunos restaurantes japoneses. Los granos frescos deben hervirse durante unos diez o quince minutos antes de comerlos. También puede conseguir soya enlatada, congelada o seca, en las tiendas de comida naturista y en los supermercados asiáticos. Estos almacenes suelen tener también nueces de soya, leche de soya, miso, tempeh y tofu. El miso, que se utiliza principalmente para preparar sopas, es una pasta de soya fermentada. La harina de soya puede utilizarse para hornear algunos productos, pero no sirve para todas las recetas, es decir, no se puede intercambiar indistintamente con la harina de trigo u otros tipos de harinas. Consulte antes de hacerlo. En la mayoría de las librerías puede encontrar libros de cocina con recetas a base de soya.

En mi opinión el tofu es la preparación de soya más mágica de todas. Se puede cortar en tiras y utilizarlo en sofritos, cazuelas, ensaladas, sopas y estofados. Incluso puede reemplazar la *sour cream* en las papas asadas. También es posible conseguir yogur de tofu. El polvo de proteína de soya, mezclado con leche o jugo, es otra buena posibilidad. Se obtiene una mezcla suave y agradable. Es importante asegurarse siempre de comprar proteína de soya aislada, es decir, soya que no haya sido procesada con alcohol. (Hay algunas compañías que usan alcohol para eliminar la grasa y el azúcar natural de la soya y en el proceso eliminan también las isoflavonas, con lo cual desaparecen los beneficios que usted puede obtener de la soya.)

Siendo la soya un producto tan maravilloso, ¿qué tanta se debe consumir? ¡He ahí el meollo! Se está realizando en la actualidad un estudio en Bowman-Gray School of Medicine, en Winston-Salem, que consiste en lo siguiente: las mujeres toman una bebida de soya con un contenido de 20 miligramos de isoflavonas y se realizan mediciones de los efectos que esto produce a fin de precisar qué tanta soya debe consumir una mujer postmenopáusica. Otros estudios indican que una mujer necesita un mínimo de 20 gramos de polvo de soya al día, para contrarrestar los calores y los sudores nocturnos, y entre 35 y 60 gramos de proteína de soya para bajar los niveles de colesterol y comenzar a construir hueso. Hay investigaciones en curso en diferentes lugares, pero no se tienen respuestas concretas aún.

100 He oído hablar mucho de los beneficios que produce el aceite de linaza. ¿Podría decirme exactamente qué es?

El aceite de linaza se obtiene de las semillas de linaza, que contienen una gran cantidad de lignanos, uno de los fitoestrógenos. Se ha sugerido que una cucharada de aceite de linaza es el equivalente a una taza de leche de soya. Es interesante notar que a la linaza se le atribuyen características similares a las de la soya, tal vez propiedades anticancerígenas y el potencial para contrarrestar los síntomas de la menopausia. En un artículo titulado "The Role of Soy Products in Reducing Risk of Cancer" (El papel de la soya en la reducción de los riesgos de cáncer), publicado en el *Journal of the National Cancer Institute*, de julio de 1991, Mark Messina calcula que 200 miligramos de soya son iguales a 0.3 miligramos de estrógenos farmacológicos. Ésta era la dosis más baja de estrógenos farmacológicos disponibles hasta la aparición de Fempatch. Sé que esto es un poco vago, pero lo único que he podido encontrar hasta el momento son cálculos aproximados de los contenidos de fitoestrógenos para compararlos con los medicamentos.

101 ¿Hay algunas plantas con un alto contenido de fitoestrógenos?

Se han realizado algunas investigaciones, aún muy limitadas, para verificar si las plantas que toman algunas mujeres, como son el cohosh negro, el dong quai y el sauzgatillo (chasteberry), todas con un alto contenido de fitoesteroles (estrógenos vegetales y algo de progesterona), son útiles para equilibrar las hormonas durante la transición menopáusica. Estas plantas se usan con propósitos medicinales y muchos medicamentos de los que se suelen prescribir tienen como base plantas cuya efectividad y seguridad se han comprobado. El cohosh negro, el dong quai y el sauzgatillo con frecuencia se encuentran en las tiendas naturistas. La raíz del cohosh negro (*Cimifuga racemosa)* es la base de un producto llamado Remifemin, que generalmente puede conseguirse en las farmacias, sin fórmula médica. La distribuidora de este producto en los Estados Unidos se llama Enzymatic Therapy. El remifemin aparentemente es eficaz para controlar los calores menopáusicos, y además es útil para mejorar la digestión, fortalecer los músculos pélvicos, controlar la retención de líquidos y disminuir la ansiedad. El dong quai (*Angelica sinensis),* que está en muchas fórmulas chinas de productos vegetales, ha sido utilizado durante años por las mujeres del Lejano Oriente para mantener niveles adecuados de estrógenos. Aunque sus fitoestrógenos sean activos, son mucho menos potentes que los estrógenos. Los herbolarios suelen recomendar el dong quai para el control de los calores y de otros síntomas de la menopausia. El sauzgatillo *(Vitex agnus castij)* es una planta generalmente utilizada para equilibrar las hormonas femeninas. Se dice que sirve para controlar los síntomas del SPM, así como los de la menopausia; sin embargo, con frecuencia esta planta demora varios meses para que sus efectos positivos sean apreciables.

Todas estas plantas pueden consumirse en diferentes formas, como infusión o como tintura, y en algunas ocasiones se toman como si fueran té. Atención, es importante tener en cuenta que las plantas pueden ser tóxicas si se consumen en cantidades demasiado grandes. También existe la posibilidad de que usted sea alérgica a ellas. Es muy importante que se informe detalladamente antes de utilizarlas, para asegurarse de que éstas no exacerbarán otros problemas de salud que usted pueda estar experimentando.

Vale la pena anotar que un estudio del dong quai realizado por Bruce Ettinger, investigador principal de la división de investigaciones en Kaiser Permanent Laboratories de Oakland, California, demostró que cuando se consume aisladamente, el dong quai no produce ningún efecto diferente al de un placebo en la modificación de los niveles de estrógenos utilizados para tratar los calores y otros síntomas de la menopausia. Los conocedores de la medicina china responden rápidamente que el dong quai no se utiliza nunca aisladamente en las fórmulas chinas. Sin embargo, las mujeres lo compran en las tiendas naturistas chinas y lo usan para combatir los síntomas de la menopausia.

Otro descubrimiento, presentado en el resumen de la reunión anual de la North American Menopause Society en 1997, se relaciona con un concentrado de ginseng denominado Ginsana. El informe fue presentado por investigadores en Suecia, en donde cerca del 40 % de las mujeres afirmaron estar utilizando compuestos vegetales para controlar los síntomas menopáusicos. El estudio encontró que el Ginsana producía una cierta sensación de bienestar y aliviaba algunos síntomas, pero que no actuaba sobre el sistema vasomotor, y por tanto no actuaba sobre síntomas tales como los calores.

Además de las plantas antes mencionadas, hay cremas con fitoesterol hechas con ñame y algunos extractos de soya. Dichas cremas se aplican sobre el cuerpo y sirven para controlar algunos síntomas de la menopausia, pero hay muchas preguntas aún sin resolver. "¿Cuánta crema necesito? ¿Cuándo estoy usando demasiada? ¿Qué tanta es realmente absorbida? ¿Hay un proceso de absorción continuo?"

102 Si los estrógenos vegetales son débiles, ¿se pierde parte de su valor medicinal al cocinarlos?

Cocinar al vapor ligeramente la mayoría de los vegetales es conveniente; además, éstos adquieren un sabor más agradable. No se preocupe pues los fitoestrógenos no pierden su eficacia, incluso si los somete a temperaturas entre los 350 y los 500 grados.

103 ¿Debo tomar fitoestrógenos?

Ésta es otra opción que usted tiene. Todavía no hay una respuesta concreta, aunque sí se recomienda su consumo. No he podido encontrar investigaciones que sustenten científicamente estas recomendaciones, pero sí he oído mucho acerca de ello. Algunas mujeres muestran un gran entusiasmo en relación con los fitoestrógenos, no sólo porque afirman haber obtenido resultados satisfactorios, sino porque los catalogan como tratamientos "naturales". Todavía hace falta la validación científica, pero como se están realizando muchos estudios en la actualidad en distintos lugares del mundo, esperamos tener respuestas más concretas en el futuro.

104 ¿Podría indicarme qué alimentos contienen fitoestrógenos?

Es posible que usted consuma muchos fitoestrógenos sin darse cuenta. La lista que sigue le dará la posibilidad de verificar qué tantos vegetales con fitoestrógenos consume con cierta regularidad:

Manzanas	Espárragos	Cebada
Fríjoles	Zarzamora	Bok choy
Zanahorias	Cerezas	Maíz
Algas secas	Hinojo	Linaza
Ajo	Granos	Pimienta verde

Lúpulo
Leche
Aceite de oliva
Peras
Arroz integral
Calabaza
Ñame
Col rizada
Mostaza verde
Cebollas
Granadas
Centeno
Semillas de girasol
Regaliz
Avena
Arvejas
Rábanos
Productos de soya
Germen de trigo

10

¿QUÉ OTRAS ALTERNATIVAS HAY PARA LOS ESTRÓGENOS?

Las alternativas para la terapia de sustitución estrogénica son muchas y variadas. En realidad los suplementos alimenticios ofrecen muchas posibilidades para las mujeres que no pueden o no quieren tomar hormonas ni fitoestrógenos. Hay también otras terapias que van desde la acupuntura hasta el yoga, las cuales benefician a muchas mujeres. Además hay una gama considerable de elementos que usted puede introducir en su vida diaria y que le ayudarán a reducir o eliminar los síntomas de la menopausia.

Para ser consecuente, lo que debe hacer es revisar estas alternativas y ver cómo y si en realidad le sirven a usted. Lo que es mejor aún, puede contemplar la posibilidad de combinar alguna con estrógenos, ya sean farmacológicos o de origen vegetal. Esto es lo que yo hago. Le añado vitaminas y minerales a mi régimen diario. Uso la acupuntura o el masaje de acupresión, y hago yoga dos veces por semana. Hago también otra clase de ejercicio, dejé el cigarrillo (hace más de veinticinco años) y trato de seguir una dieta saludable, de la que he eliminado básicamente el consumo excesivo de alcohol, sal, cafeínas, colas y proteínas, especialmente las procedentes de las carnes rojas.

En este capítulo veremos por qué las vitaminas y los minerales, los ejercicios de relajación y otras actividades para reducir el estrés, además del ejercicio y una nutrición adecuada, pueden ayudarle a aliviar los síntomas de la menopausia, mejorar su salud y posiblemente asegurarle más años de vida. Antes que nada quiero darle un consejo. Si quiere experimentar con vitaminas y suplementos minerales para buscar un alivio a los síntomas, tome el tiempo necesario para leer sobre sus potenciales, y comprender sus propiedades para saber qué pueden hacer por usted. No le haría ningún daño consultar esto con su médico o con una nutricionista calificada. Es de vital importancia que tome la dosis adecuada, porque una sobredosis de algunas vitaminas y minerales puede producir efectos tóxicos. Hablando de vitaminas y minerales, vale la pena saber que el exceso es peor que el defecto.

105 ¿Es cierto que la vitamina E ayuda a disminuir o eliminar los calores y los sudores nocturnos? ¿Puedo obtenerla de los alimentos?

Aunque no se tiene aún evidencia científica, se considera que la vitamina E es de gran importancia para muchas mujeres, puesto que les ha ayudado a controlar los calores proporcionándoles, a la vez, otros beneficios. De hecho a mí me ha servido. Cuando todavía estaba en la perimenopausia y sufría esas oleadas que me abrumaban, tomé 800 unidades internacionales de vitamina E diariamente. Me tomaba 400 en las mañanas, junto con un jugo de naranja con suplemento de calcio, y las otras 400 antes de irme a la cama para controlar los sudores nocturnos. La primera persona en sugerirme la vitamina E fue el propietario de la tienda naturista de mi barrio, un hombre que conoce a fondo su trabajo. Mi médico, aunque me recordó la falta de bases científicamente comprobadas, estuvo de acuerdo en que ensayara con la vitamina E. Ya llevo varios años con la terapia de sustitución estrogénica, pero sigo tomando una cápsula de 400 unidades internacionales de vitamina E todas las mañanas, porque quiero aprovechar sus otros efectos benéficos. Además, y esto es muy importante, cuando estoy sometida a un alto nivel de estrés y experimento calores momentáneos, doblo la dosis de vitamina E y la molestia desaparece.

En los últimos años se han publicado más y más artículos en revistas médicas importantes en los que se le atribuyen a la vitamina E efectos benéficos para nuestra salud. Cuando se trata de corregir síntomas de la menopausia como la resequedad vaginal, la depresión y los desesperantes calores, la vitamina E se considera como una verdadera promesa. En el tratamiento de la atrofia vaginal (adelgazamiento y sequedad), hay mujeres que se aplican la vitamina E en el lugar del problema, lo que ha dado resultados exitosos. Para ello abren la cápsula y se aplican el aceite directamente sobre el tejido vaginal, cuando experimentan la incomodidad. Se han realizado investigaciones sobre la vitamina E en las últimas dos décadas y los resultados de éstas sugieren que puede ser útil para corregir algunos problemas de la piel, para el tratamiento de la osteoartritis y para prevenir las enfermedades cardíacas. Pero antes de empezar a tomar la vitamina E, consulte con su médico, puesto que no suele recomendarse a personas con problemas cardíacos, reumáticos, con diabetes o tensión arterial alta. Además nadie en tratamiento con digitalina debe tomar vitamina E. Las megadosis de cualquier medicina deben evitarse o, al menos, estudiarse con mucho cuidado. Se teme que un consumo exagerado de vitamina E pueda dar origen a problemas en el hígado.

La vitamina E está presente en algunos aceites vegetales, semillas, nueces naturales, frutas y verduras. La fuentes principales son el germen de trigo (puede rociar un poco sobre su cereal), la lechuga y las arvejas verdes. Otras fuentes importantes de vitamina E son los espárragos, el pepino cohombro y la col rizada, los aceites de germen de trigo, soya, ajonjolí, maíz o cártamo, el arenque y el bacalao; el cordero y el hígado (cuidado con el colesterol), el arroz moreno, el mijo y los mangos. La vitamina E se destruye con un cocimiento exagerado; por tanto, para obtener los mayores beneficios de los vegetales con un alto contenido de vitamina E, cuando la cocción sea indispensable limítese a cocinarlos al vapor unos pocos minutos.

En lo que se refiere a la utilización de los aceites antes mencionados, una investigación publicada en los *Archives of Internal Medicine,* el 12 de enero de 1998, sugiere que las grasas poliinsaturadas de la soya, el maíz y el cártamo pueden aumentar el riesgo de cáncer de seno. Este estudio, realizado en el Karolinska Institute en Estocolmo, fue dirigido por la doctora Alicja Wolk y en él participaron 61.471 mujeres. Sin duda alguna los resultados favorecen las grasas monoinsaturadas, como los aceites de oliva, canola, girasol y cacahuete.

Esta investigación es muy importante puesto que refuerza investigaciones previamente realizadas por científicos en los Estados Unidos, España, Grecia e Italia, que mostraron una relación entre el aceite de oliva y otras fuentes de grasas monoinsaturadas y una reducción del riesgo de cáncer de seno. Aunque todavía hay cierto debate sobre si debe considerarse definitivo o no el estudio sueco, parece que valdría la pena preferir en su dieta los aceites de oliva, canola, girasol y cacahuete, frente a otros aceites, grasas vegetales, animales y margarinas. Es importante recordar la necesidad de controlar el consumo total de grasas. En países con dieta mediterránea, en donde la utilización del aceite de oliva está muy generalizada, hay una baja incidencia de enfermedad cardíaca.

106 He oído que la vitamina A es buena para la piel. ¿Qué alimentos tienen un alto contenido en vitamina A?

La vitamina A es necesaria para el crecimiento y el cuidado de las membranas mucosas, los ojos y la piel. El consumo mínimo de vitamina A (en la forma de betacaroteno) recomendado para la dieta diaria es de 5.000 unidades internacionales. La vitamina A se puede encontrar en grandes cantidades en la zanahoria, la batata, el ñame y, en cantidades menores, en el zapallo o ahuyama, en el brócoli, la calabaza amarilla, las espinacas, los tomates, la col rizada, el melón y el mango. Se piensa que la vitamina A es una de las vitaminas antioxidantes que se analizan en la respuesta a la pregunta 108.

107 ¿Podré controlar los gases con la vitamina B6?

Hay muchas mujeres que la toman con este fin, entre muchos otros. La vitamina B6 (piridoxina) en dosis pequeñas, unos 50 miligramos al día, puede trabajar como un diurético natural. Cuando así lo hace se la considera como un elemento útil para contrarrestar la retención de agua, que hace que muchas mujeres que toman estrógenos experimenten la sensación de estar llenas de gases, lo que les produce mucha incomodidad. Hay otros diuréticos naturales que también pueden ayudar, como el perejil, los berros, las algas marinas y el jugo de arándano. Debe ser cuidadosa en esto también, pues las megadosis de vitamina B6 pueden producir lesiones en los nervios. Pero la falta de vitamina B6 puede dar origen a problemas del sueño y síntomas de ansiedad. Así como sucede en la historia de Ricitos de Oro y los tres ositos, lo importante es encontrar la dosis "exacta" para cada mujer. Algunas fuentes de vitamina B6 son: las almendras, las semillas de girasol, las semillas de ahuyama, el germen de trigo, el arroz integral, el afrecho de arroz, el pollo, los camarones, el salmón, el atún y, por supuesto, muchas verduras como los espárragos, el brócoli, las repollitas de bruselas, la coliflor, las arvejas verdes y las batatas. Entre muchas otras propiedades, la vitamina B6 se considera como una de las enemigas del estrés.

108 ¿Qué son los antioxidantes? ¿Sirven para aliviar los síntomas de la menopausia?

Se cree que los antioxidantes previenen el desarrollo del cáncer, puesto que remueven los radicales libres presentes en nuestro sistema. Los radicales sin oxígeno son generados durante el proceso de oxidación. La protección antioxidante es importante porque los radicales libres pueden ocasionar lesiones a nuestro material genético (ADN) y los genes lesionados pueden interferir con la capacidad de nuestras células para detener cambios cancerosos. Los radicales libres pueden también oxidar las proteínas que transportan el colesterol en la sangre, dando origen a la formación de placa en las paredes de las arterias. Los radicales libres son una clasificación de compuestos químicos. Pueden considerarse como tiros de cañón — químicos nocivos que se desplazan libremente buscando en donde aterrizar, ocasionando así daños en el cuerpo. Las vitaminas A, C, y E son consideradas antioxidantes y deben tomarse juntas para obtener mejores resultados. Estas vitaminas han demostrado producir efectos protectores contra el desarrollo de cáncer en el seno, los pulmones, el colon, el páncreas y en otros órganos importantes. Obviamente los efectos protectores de la vitamina C contra el cáncer de seno en las mujeres postmenopáusicas son importantes. También hay estudios que sugieren que la vitamina E reduce el riesgo de recurrencias en mujeres con cáncer de seno en la fase II. La vitamina E proporciona una ayuda importante en el control de los calores menopáusicos y la resequedad vaginal, síntomas que ya se han cubierto en la respuesta a la pregunta 105.

109 ¿Debo entonces tomar antioxidantes?

Parece que tomar antioxidantes es una buena idea, pero si usted toma suplementos, no se exceda. Hay estudios en proceso encaminados a analizar el valor de estos antioxidantes y hasta el momento la vitamina E es la única que ha demostrado su utilidad en la prevención del cáncer y la enfermedad cardíaca. De hecho, los estudios anteriores han sido decepcionantes. Así que tenga cuidado. Si toma antioxidantes, limítese a las dosis recomendadas. Pueden ser tóxicos cuando se toman dosis grandes. Siempre compre sus antioxidantes en lugares confiables y asegúrese de conocer el contenido de cada píldora que se toma. Tenga cuidado con los aditivos indeseados. Si así lo prefiere, decídase por los antioxidantes presentes en los alimentos que consume, si quiere reducir el riesgo de un cáncer. Las zanahorias, las hortalizas de hojas verde oscuro y las batatas son una excelente fuente de éstos.

110 ¿Qué tanta vitamina C debo tomar?

La recomendación diaria de 40 miligramos al día, es posiblemente demasiado baja para que la vitamina C produzca todos los efectos deseados. Doscientos miligramos es quizá la dosis ideal, según el doctor Mark Levine, jefe de nutrición molecular y clínica en los Institutos Nacionales de Salud de Estados Unidos. También es fácil seleccionar alimentos que nos proporcionen 200 miligramos de vitamina C diariamente, especialmente si seguimos las recomendaciones del Departamento de Agricultura, que nos sugiere comer cinco o más porciones de fruta y de verduras al día. Si usted no lleva una dieta rica en frutas y verduras, es posible que necesite pensar en tomar un suplemento de vitamina C.

La vitamina C puede ayudarle mucho. Sus propiedades

anti-estresantes le pueden proporcionar efectos calmantes. Se dice que también previene el sangrado menstrual excesivo, que puede detener una gripe si se la toma a tiempo, que ayuda en la cicatrización de quemaduras y heridas, y mantiene el colágeno, la principal proteína de sostén de nuestra piel, tendones, cartílagos, tejido conectivo y huesos. La vitamina C es fácil de encontrar en los alimentos. Frutas como las naranjas, el melón, la toronja, el mango, la papaya y las fresas tienen un alto contenido de vitamina C. Verduras como el brócoli, las repollitas de bruselas, la col, la coliflor y la mayoría de las hortalizas verdes son también fuentes excelentes de vitamina C.

111 ¿Puedo obtener todo lo que necesito de un buen complejo multivitamínico?

Aquí también la respuesta puede ser sí y no. Un buen multivitamínico proporciona todas las vitaminas y los minerales en las cantidades diarias recomendadas. Por tanto podríamos decir que es conveniente tomar uno diariamente para mantenernos en forma, porque es cierto que en estos días de comida pre-cocida y pre-empacada no siempre encontramos la alimentación adecuada. Sin embargo, si usted, como yo, necesita cantidades adicionales de diversas vitaminas y minerales, tendrá que tomarlas junto con el complejo multivitamínico.

112 ¿Qué otras plantas se usan para suprimir los síntomas de la menopausia?

Además de las que mencioné en la respuesta a la pregunta 101, hay unas cuantas plantas que, tomadas con moderación, pueden aliviar algunos síntomas en una que otra mujer. Hoy por hoy la más popular es la hierba de San Juan (St. John's wort). Se dice que puede usarse con éxito para corregir la depresión menor u hormonal, la ansiedad, las alteraciones del estado de ánimo y síntomas parecidos. Se le llama también la versión moderna femenina del Prozac, pero todavía faltan muchos estudios para confirmar esto. El ginseng, la raíz del regaliz, la manzanilla, la pasiflora y la raíz de la zarzamora han estado en la lista hace tiempos. Es posible que ayuden puesto que contienen estrógenos — en realidad fitoestrógenos, según se describe en el capítulo 9. De nuevo, deje que la prudencia sea su guía. Las plantas pueden ser tóxicas si se ingieren en cantidades muy grandes, y además también pueden producir reacciones alérgicas. Pero a la vez, sabemos que las plantas pueden hacer maravillas. Tomemos un ejemplo: el ginseng. Esta planta, con alto contenido de estrógenos, puede proporcionarle energía y ayudarle a controlar los calores. Sin embargo, todavía no conozco a ninguna mujer cuyo médico le haya sugerido ensayar con el ginseng. Esto se debe a que sugerirle tomar ginseng es como prescribirle estrógenos sin saber qué cantidad estaría tomando. Por tanto, si decide tomar un poco de té de ginseng para tratar los síntomas de la menopausia, procure saber qué cantidad va a tomar al día.

Otras plantas ricas en fitoesteroles (estrógenos y progesterona vegetales) que pueden servir para equilibrar las hormonas durante el periodo de transición son el cohosh negro, el dong quai y el sauzgatillo. Éstas son más suaves que los estrógenos farmacológicos y se necesita una gran cantidad para obtener los efectos deseados. De nuevo la palabra aquí es: prudencia. Estudie las propiedades de las plantas antes de empezar a tomarlas, para asegurarse de que está consumiendo las cantidades adecuadas. Susun S. Weed, autora de *Menopausal Years* (Los años de la menopausia) dice: "Hay una enorme diferencia entre utilizar las plantas ricas en fitoesteroles y tomar hormonas. Los fitoesteroles nos proporcionan elementos para que nuestro cuerpo produzca las cantidades necesarias y la combinación adecuada de las hormonas que precisamos". Esto es positivo, pero me pregunto: ¿qué tanto de qué se necesita para realizar este trabajo?

La manzanilla es otra planta muy útil. Siendo el insomnio uno de los síntomas más frecuentes en la lista de muchas de las mujeres que respondieron mis cuestionarios, o de las que han entrado en contacto conmigo, yo suelo pedirles que compartan con mis lectoras sus experiencias positivas. Por supuesto, el enemigo número uno del insomnio son los estrógenos, pero muchas mujeres afirman que los tés de hierbas que contienen manzanilla, nébeda, valeriana o pasiflora les han ayudado enormemente. Otras mujeres sugieren largas caminatas, baños templados, o una copa de vino o de leche tibia antes de irse a la cama.

Las mujeres que toman plantas para aliviar los síntomas de la menopausia con frecuencia me dicen que inicialmente experimentan cierta confusión, incluso temor. Una de las dudas más apremiantes con frecuencia tiene que ver con la necesidad de saber cuál es la diferencia entre "tintura" e "infusión". Yo sé perfectamente a qué se refieren. El simple hecho de entrar en una tienda naturista puede producir cierta inquietud; además, ver esas enormes estanterías llenas de productos totalmente desconocidos puede producir temor. Quiero, por tanto, intentar aclarar ciertas nomenclaturas. Cuando hablamos de tintura nos estamos refiriendo a material obtenido de plantas frescas, que ha sido colocado en alcohol o en vinagre. La tintura con alcohol suele durar más tiempo, pero no es apropiada para mujeres con alergia o aversión al alcohol. Hay una gran variedad de tinturas disponibles y los productos suelen tener una larga vida. Una infusión es otra cosa. Se prepara generalmente introduciendo una onza o más del producto fresco o seco en un cuarto de galón de agua hirviendo durante varias horas. La infusión resultante puede conservarse en la nevera y dura unos pocos días.

113 ¿Logra la medicina china hacer más suave la transición menopáusica?

La medicina china ha sido muy útil para las mujeres que no pueden tomar estrógenos o simplemente deciden no tomarlos, pero que sufren mucho debido a los síntomas de la menopausia. Hay algunas plantas chinas, como el dong quai y el ginseng, antes mencionadas, pero la medicina china no se reduce a tratamientos con plantas. La acupuntura, milenario arte curativo procedente del Lejano Oriente, ha producido resultados positivos para el alivio de estos síntomas. Consiste en aplicar agujas increíblemente finas en forma subcutánea en lugares específicos del cuerpo, denominados "meridianos", con el fin de desbloquear la energía o el qi (se pronuncia chi). Si desea explorar esta excelente terapia, asegúrese de que su terapeuta tenga las licencias necesarias y utilice agujas desechables.

Mi acupunturista, Kristen Lee, en Del Mar, California, me ha explicado la teoría de la medicina china acerca de la menopausia. Me dijo que la sensación de incomodidad e irritabilidad, e incluso los calores y los sudores nocturnos, según la medicina china, son manifestaciones de una deficiencia del "yin" en el hígado y los riñones, que da como consecuencia un predominio del fuego. Debo confesar que no he llegado a comprender totalmente las maravillas de la medicina china; sin embargo, hay mujeres que afirman que la acupuntura junto con una que otra fórmula de plantas suelen hacer maravillas en este campo.

114 ¿Se pueden tomar vitaminas y minerales en exceso?

Tomar vitaminas y minerales en exceso no necesariamente produce mejor efecto que tomar menos de lo indicado. Lo aconsejable es estudiar detenidamente los efectos de las vitaminas y los minerales y en qué forma pueden ayudarle a ser más saludable y más fuerte. Recuerde que las megadosis de cualquier cosa no son aconsejables; por tanto, antes de aumentar las cantidades de lo que está tomando, consulte con su médico.

115 ¿La medicina alternativa es una moda o tiende a establecerse?

En el *New England Journal of Medicine* en 1993, el doctor David Eisenberg y sus colegas publicaron un artículo muy bien documentado acerca de lo extendida que está la medicina alternativa en el mundo de la salud. El doctor Eisenberg, director del Centro de Medicina Alternativa en el Beth Israel Medical Center, Boston, calculó que en 1990 cerca de sesenta millones de estadounidenses estaban utilizando alguna forma de medicina alternativa y se realizaron 425 millones de consultas con profesionales de la medicina alternativa. Este número muestra una mayor afluencia de pacientes a los consultorios de medicina alternativa que a los de los médicos convencionales.

El problema de ignorar totalmente la medicina convencional es que nos arriesgamos a perder algo importante. Es vital que comparta con su médico la información relacionada con las terapias de la medicina alternativa. Parece que nos toca a nosotros — los consumidores de los cuidados de salud — rodearnos de lo mejor tanto en lo que a medicina convencional como alternativa respecta. Tenemos que ser conscientes del hecho de que la misma naturaleza de la que llamamos medicina alternativa indica que, sea lo que sea, no se aprende en las escuelas de medicina. Por tanto, su médico generalmente desconoce la mayoría de las terapias alternativas y tiende a mantener una postura escéptica al respecto. No obstante, somos nosotros los que tenemos que enfrentarlo con nuestros síntomas y nuestras decisiones personales en lo que a terapias se refiere. Sólo entonces podemos integrar lo mejor de las terapias de la medicina alternativa con lo mejor de la medicina convencional, para asegurarnos de estar recibiendo la mejor atención médica posible. Así nos beneficiaremos de lo que se conoce como "medicina integral". El interés en la medicina alternativa sigue siendo grande, pero tenemos que ser cuidadosos y no tirar por la borda todo lo que es bueno y ya ha sido comprobado en la medicina convencional, en nuestro afán por ejercer el control de nuestra salud y los cuidados de la misma.

11

¿QUÉ MODIFICACIONES DEBO INTRODUCIR EN MI ESTILO DE VIDA?

Un cambio de vida, como erróneamente se ha denominado a la menopausia, no es realmente lo que tenemos que enfrentar, a menos que literalmente lo tomemos como un cambio de estilo de vida. Lo que yo propongo aquí es que las mujeres asuman activamente su menopausia, en lugar de permitir pasivamente que unos cambios biológicos disminuyan su calidad de vida.

En realidad no debemos enfrentar la menopausia como si fuese una enfermedad producida por una deficiencia de estrógenos. La menopausia no es en absoluto una enfermedad. Tampoco debemos centrarnos únicamente en si debemos o no tomar estrógenos; éste tampoco es el reto principal. Lo que debemos plantearnos es si estamos haciendo todo lo que podemos para mejorar nuestra salud como mujeres maduras, que buscamos mejorar nuestro estilo de vida.

Hablando muy francamente, para mí el ejercicio es el elíxir de la vida. He visto mujeres, en realidad hombres también, que experimentan un cambio radical tanto físico como mental y social cuando se comprometen con un programa sólido de ejercicios. No se trata solamente de esas hormonas endorfinas que empiezan a circular, sino también de una sensación de bienestar mental que nos hace sentirnos dueños de nosotros mismos. No hay nada más importante que asumir control del cuerpo y por tanto de la vida misma.

Año tras año se realizan nuevos estudios y todos tienden a mostrarnos el valor del ejercicio. Ayuda a prevenir los ataques cardíaco y cerebral, y según un informe publicado por la American Heart Association (Asociación Cardiológica Estadounidense), a finales de 1997, hay cierta relación entre el ejercicio y la prevención del cáncer del seno. Uno de los hallazgos del Harvard Nurse's Health Study (Estudio de la salud de las enfermeras de Harvard), publicado en el *New England Journal of Medicine* en 1995, fue que las mujeres que aumentan de peso entre los treinta y los cincuenta años son las que presentan un mayor riesgo de cáncer de seno más adelante en su vida. Todavía se debate ampliamente alrededor de los problemas de salud, pero lo que no se discute es si el ejercicio es necesario o no. Infortunadamente, muy pocas personas hacen ejercicio con regularidad. Si usted puede mejorar su salud y cambiar el curso de su vida, ¿lo haría? Si la respuesta es sí, entonces empiece hoy mismo a hacer ejercicio.

Puede empezar con algo tan sencillo como caminar alrededor de su manzana.

Lo más importante que una mujer puede hacer en su juventud y con mayor razón durante los años antes y después de la menopausia, es hacer ejercicio, para conservar tanto su salud mental como física. Sea que se someta o no a la terapia con estrógenos, el ejercicio es importante; protege contra la enfermedad cardíaca, la osteoporosis, algunas formas de cáncer y el aumento de peso. Resulta interesante, aunque no sorprendente, que el aumento de peso sea la queja más frecuente de las mujeres. La principal respuesta a este problema es hacer ejercicio. El ejercicio también puede aliviar algunos de los síntomas de la menopausia, como los calores, los sudores nocturnos, el insomnio y las dificultades digestivas. El ejercicio acelera la circulación y cuanta más sangre llegue al cerebro, mayor es la producción de endorfina, lo que proporciona a la mujer una sensación de bienestar, de mayor felicidad y capacidad de atención.

El ejercicio no es sino uno de los factores que intervienen en el proceso de gozar de una buena salud. Otros son la necesidad de comer alimentos saludables en proporciones adecuadas, dejar el cigarrillo y disminuir el consumo o dejar por completo otras substancias perjudiciales como son el alcohol y la cafeína. También es vital reducir el estrés negativo que afecta nuestra vida.

116 ¿Cuál es la diferencia entre ejercicios aeróbicos y anaeróbicos?

Empecemos con el significado básico de la palabra aeróbico, que viene de la palabra griega que significa 'aire'. Esto nos facilita recordar que el tipo de ejercicio que depende del aire, o de la respiración, es aeróbico. El que no depende del aire se denomina anaeróbico. Necesitamos de las dos clases de ejercicio. El ejercicio aeróbico trabaja con nuestra respiración, distribuyendo oxígeno a los músculos del cuerpo. Éste es vital para la salud cardiovascular.

El ejercicio anaeróbico nos ayuda a construir masa muscular, fuerza y flexibilidad. Un buen ejemplo de un ejercicio anaeróbico es el trabajo con pesas. El ejercicio aeróbico produce sus efectos principalmente sobre el sistema cardiovascular y la pérdida de peso o mantenimiento del mismo. Sin embargo, es precisamente la conversión de la grasa en músculo, que se logra con los ejercicios anaeróbicos, la que nos ayuda a quemar más calorías.

117 ¿Qué clase de ejercicio necesitan las mujeres menopáusicas?

Las mujeres de cualquier edad necesitan realmente tres clases de ejercicio. Ejercicios de estiramiento para la flexibilidad, ejercicios aeróbicos para proteger el corazón y ejercicios de resistencia para proteger los huesos y ayudarnos a prevenir la osteoporosis. Abordar el tema con su médico, si no ha hecho ejercicio regularmente en su vida, siempre es una buena idea antes de empezar cualquier programa riguroso.

Es importante que incluya los siguientes elementos cuando vaya a definir su programa de ejercicios: empezar con un calentamiento aeróbico durante al menos seis minutos. Inicie después la parte fuerte de ejercicio, que puede ser aeróbico o anaeróbico, dependiendo de lo que vaya a hacer cada día. Por ejemplo, el trotador eléctrico o el trabajo con pesas debería durar al menos treinta minutos. Por último, deje al menos cinco minutos para los ejercicios de enfriamiento, que deberían incluir una reducción lenta de la intensidad de su ejercicio, seguida por estiramientos. El ideal sería que hiciéramos ejercicio aeróbico todos los días y trabajo con pesas, dos o tres veces por semana, un día sí y otro no. Si su disponibilidad de tiempo no se lo permite, al menos asegúrese de hacer ejercicio para el corazón tres veces por semana, en sesiones de treinta minutos mínimo.

118 ¿Cómo puedo determinar cuál es mi frecuencia cardíaca ideal? ¿Debo controlarla en todos los tipos de ejercicio que realice?

Cuando esté haciendo ejercicios aeróbicos, debe tratar de no exceder su frecuencia cardíaca ideal. Para determinarla, reste su edad a 220, y luego calcule entre el 60 y el 80 por ciento de ese número como el nivel de frecuencia cardíaca en el que usted puede trabajar. Por ejemplo, si tiene cincuenta años su máxima frecuencia trabajando en una intensidad del 100% sería 170 pulsaciones por minuto. ¿Cómo llegué a esa cifra? Restando 50 (su edad) de 220. Ahora calcule el 60% de ese número (170) y luego el 80% del mismo. Cuando lo haga, sabrá que puede trabajar con una frecuencia cardíaca entre 102 y 136 palpitaciones por minuto. Usted debe trabajar siempre manteniendo su frecuencia cardíaca ideal, así obtendrá mejores resultados.

Cuando esté haciendo ejercicio aeróbico, verifique su frecuencia cardíaca ya sea contando las pulsaciones en su cuello o muñeca durante diez segundos, y multiplicando luego este resultado por seis, o también puede utilizar uno de los cinturones de monitoreo que se colocan en el dorso. Es conveniente revisar su frecuencia cardíaca periódicamente mientras está haciendo ejercicio, pues así se asegura de hacer el ejercicio necesario sin excederse. Si está trabajando en un gimnasio o tiene su propio equipo aeróbico en casa, puede controlar su frecuencia cardíaca sosteniendo los sensores y revisando las cifras en la pantalla electrónica.

119 ¿Con qué frecuencia debo hacer ejercicio durante la menopausia?

No es una cosa exclusiva de la menopausia, se trata del resto de su vida. Siempre debe hacer ejercicio al menos tres veces por semana. Si lo hace cinco veces por semana, todavía mejor. Trate de buscar actividades que usted disfrute de verdad; lograr hacer del ejercicio una actividad divertida ya es ganar la mitad de la batalla. Leí un par de estudios publicados recientemente en los que se demuestra que podemos fraccionar los tiempos en los que hacemos ejercicio y continuar obteniendo beneficios significativos. Por ejemplo, si definitivamente no cuenta con treinta minutos para hacer su ejercicio diario, trate de ejercitarse durante tres períodos de diez minutos cada uno, durante el curso del día. Es importante que lleve su corazón a la frecuencia ideal durante esos diez minutos, para obtener el máximo beneficio.

Una buena parte del problema para convencer a la gente para que hiciera ejercicio en el pasado fue el factor tiempo y las listas de tipos de ejercicios recomendables. Hace relativamente poco que se reconoció el trabajo en el jardín, o el trabajo pesado de la casa, como ejercicios que pueden incluirse dentro del conteo de calorías y también se incluyen los períodos cortos de ejercicio como parte de aquéllos que producen resultados benéficos. Estas concepciones recientes en relación con el ejercicio diario deberían animar tanto a las mujeres como a los hombres a realizar el ejercicio necesario.

120 ¿Caminar es un ejercicio suficiente para mí?

Caminar es el ejercicio más popular y una buena opción como actividad de resistencia. No se necesita equipo especial, con un buen par de zapatos es suficiente. Lo que usted usa, junto con los zapatos, depende de su comodidad propia y del clima. Haga ejercicios de estiramiento antes y después. Es esencial un buen estiramiento —sin saltar— de sus tendones de Aquiles, de sus pantorrillas, de sus cuádriceps y de los tendones de las corvas.

Parece haber un consenso en cuanto a que caminar de treinta a cuarenta y cinco minutos al día, en un ritmo entre cuatro y medio y seis kilómetros por hora, produce resultados benéficos. El único problema que plantea caminar parece ser que para algunas mujeres es un ejercicio muy solitario. Otras dicen que aunque intentan caminar, siempre surge algo que les impide hacerlo. A continuación, unas cuantas ideas que le ayudarán a mantener su decisión:

- Tenga siempre un destino en mente. Para seguir adelante muchas personas necesitan saber a dónde se dirigen.
- Programe un encuentro con algún amigo o amiga en un momento específico y utilice la media hora o los cuarenta y cinco minutos para caminar y hablar, desechando así una larga conversación telefónica y poniéndose al día en las últimas novedades, mientras realiza su ejercicio.
- Hágase amante de la naturaleza y camine para observar los cambios que se producen a su alrededor, des-

cubra los retoños en los árboles, arbustos, plantas de flores y los animales que encuentre a su paso.

— Hágase miembro de un grupo de caminantes, si puede encontrar uno que le atraiga.
— Camine en un centro comercial y disfrute de las vitrinas mientras está caminando, pero no se detenga para comprar nada.
— Lleve consigo un walkman para escuchar música o algún programa interesante.
— En cuanto pueda, vaya a pie a realizar una compra, a visitar alguna amiga, si la distancia así se lo permite. Procure prescindir del auto.
— Procure estacionar en el espacio libre más alejado del estacionamiento.
— Procure adicionar zonas con colinas en su rutina, para hacer un poco más de esfuerzo.
— Suba por las escaleras, en lugar de utilizar los ascensores o las escaleras mecánicas.
— Lleve un diario de su rutina y revise su progreso periódicamente. De vez en cuando, prémiese a sí misma por el trabajo realizado.
— Aprenda a disfrutar caminando. Podríamos decir que éste es el ejercicio más eficaz y completo.

121 ¿Qué trabajo realiza nuestro cuerpo cuando hacemos ejercicio de resistencia y cuáles ejercicios son los mejores?

Cuando usted realiza este tipo de ejercicio, lo que está haciendo es exigiendo trabajo a los huesos y éstos, al verse exigidos, tienden a fortalecerse y a alimentarse a sí mismos. La National Osteoporosis Foundation (Fundación Nacional para la Osteoporosis) proporciona la siguiente lista de los ejercicios más indicados: caminar, subir escaleras, trotar, montar en el trotador eléctrico, esquiar (tanto en las montañas como a campo traviesa), hacer ejercicios aeróbicos de bajo impacto, bailar y hacer trabajo con pesas, ya sea utilizando máquinas o con las pesas individuales.

Otros ejercicios de resistencia de bajo impacto pueden ser: utilizar máquinas para esquiar a campo traviesa, máquinas que simulan subir escaleras y hacer aeróbicos acuáticos. Observe que la natación no es un ejercicio de resistencia; por tanto, aunque proporciona flexibilidad y algunos beneficios cardiovasculares, no ayuda a mantener la masa ósea. Si le gustan los ejercicios acuáticos, quizá debería nadar primero y hacer luego aeróbicos acuáticos, caminar en el agua, o trotar en el agua para incorporar así las tres clases de ejercicio necesario en un programa acuático. En los últimos años se han popularizado una serie de nuevos ejercicios acuáticos. Hay unas correas que le mantienen flotando mientras hace *jogging* en el agua; también hay aletas, guantes con peso y zapatos que le proporcionan una mayor resistencia.

122 Si no lo he hecho nunca antes, ¿debería empezar a levantar pesas ahora que estoy en la menopausia?

Levantar pesas ligeras es una buena idea a cualquier edad. Si no lo ha hecho nunca antes y tiene algún problema de salud, debe consultarlo con su médico. Si está ansiosa por empezar, consulte con un entrenador o con un fisiólogo para que le indique la forma en la que debe trabajar con las pesas. No se trata de pagar los servicios de este especialista durante meses y meses, solamente el tiempo necesario para que usted adquiera un entrenamiento que le permita asegurarse de estar haciendo las cosas como es debido. Hay distintos métodos para trabajar con pesas, ya sea en máquinas, pesas libres o con pesas en las muñecas y en los tobillos. Debe trabajar lentamente y con pesos suaves al principio. Por lo general se le aconsejará trabajar con cada pesa de seis a doce veces, con un 60 u 80 % de su fuerza. Esto le servirá para fortalecer los músculos y también para proteger los huesos. Póngase cómoda y segura para asumir los distintos niveles de peso y añada peso lentamente para evitar lesiones.

Es interesante notar que los programas de entrenamiento en levantamiento de pesas iniciados con personas adultas han mostrado resultados positivos. William Evans, director del laboratorio de fisiología en el Centro de Investigación sobre la Vejez, en Tufts University, fue coautor de un estudio realizado en 1990 que muestra que "nueve hombres y mujeres entre los ochenta y siete y los noventa y seis años fortalecieron en un promedio de 175% la parte anterior de los músculos de los muslos, después de ocho semanas de ejercicios con pesas realizados bajo supervisión directa". Estudios similares realizados con personas de edad avanzada en Leisure World, una comunidad para personas mayores en el sur de California, y en la Escuela de Medicina de la Universidad de Nueva York, también demostraron que el ejercicio es benéfico y puede aumentar la masa muscular, ayudar a regenerar pequeñas cantidades de masa ósea y contribuir positivamente al mejoramiento de la salud y bienestar de los mayores. Otros estudios han mostrado resultados similares. Nunca es demasiado tarde.

Un programa completo de entrenamiento en levantamiento de pesas debería ser bien balanceado y diseñado para fortalecer los principales grupos musculares — brazos, hombros, tronco, espalda, abdomen, caderas y piernas. Si piensa levantar pesas dos veces por semana, no lo haga en días seguidos; alterne las actividades haciendo un día ejercicios aeróbicos y el otro, pesas, así le dará a sus músculos el tiempo necesario para recuperarse del esfuerzo.

123 ¿El trabajo con pesas ayuda a quemar calorías?

Puesto que el peso es uno de los principales problemas de la mujer de edad adulta, tenga en cuenta lo siguiente: veinte o treinta minutos de trabajo con pesas le permitirá quemar entre 200 y 300 calorías, dependiendo del estado de su masa muscular y el grado de esfuerzo que realice. Con este ejercicio aumentará su masa muscular. Esto es importante porque cada libra de músculo adicional quemará entre 30 y 50 calorías extras por día.

De acuerdo con las orientaciones del American College of Sports Medicine (Colegio Estadounidense de Medicina Deportiva), usted solamente necesita adicionar a su programa de ejercicio trabajo con pesas dos veces a la semana. Se sugiere que realice tres sesiones de ejercicios aeróbicos y dos de trabajo con pesas a la semana. Cada sesión de ejercicio debe iniciar y concluir con cinco o diez minutos de estiramientos. Si goza de buena salud, ésta es una forma excelente de prevenir la osteoporosis, hacerse cada día más fuerte y ejercer control sobre su cuerpo. Además, la hará verse estupendamente.

124 Estoy en la menopausia y mi peso aumenta día a día. ¿Cómo detengo este proceso?

Ésta es la principal preocupación de todas las mujeres adultas. Muchas mujeres me han dicho que desearían haber sabido cuando eran jóvenes que esto les iba a suceder, para haber empezado a trabajar a tiempo para prevenir esta situación. Lo que sucede es que el metabolismo empieza su lento y permanente declive entre 0.5 y 1 % al año, cuando la mujer tiene aproximadamente treinta y cinco años. En algunas mujeres el declive es tan lento que apenas si lo perciben hacia los cincuenta, es decir, cuando empieza a aproximarse la menopausia. Digamos que una mujer pierde uno por ciento de su actividad metabólica cada año, entre los treinta y cinco y los cincuenta años. Esto implica un retroceso de un 15%. Esto, mientras ella no disminuya la cantidad de comida que ingiere y no aumente el ejercicio. Esta disminución en la actividad metabólica, si no se contrarresta de ninguna forma, es la culpable del aumento de peso de la mayoría de las mujeres de edad madura.

La respuesta para contrarrestar el aumento de peso es establecer patrones sanos de alimentación y, por supuesto, un programa bien diseñado de ejercicio regular. Ya hemos hablado del ejercicio, por tanto vamos a concentrarnos ahora en la nutrición. La mayoría somos conscientes de la necesidad que tenemos de seguir una dieta baja en grasa, rica en calcio y con un alto contenido de fibra. ¿Esto qué quiere decir? Quiere decir que analizando la última pirámide alimenticia desarrollada por el Departamento de Agricultura de los Estados Unidos, se hace evidente que necesitamos entre cinco y diez porciones de frutas y verduras diariamente, mucha cantidad de granos enteros y menos proteínas y grasas de lo que nunca antes hubiéramos imaginado.

125 ¿Cómo puedo lograr un equilibrio de todos los nutrientes que necesito?

Lograr un equilibrio perfecto es un verdadero reto. Quiere decir mantener el consumo de grasa, entre veinte y treinta gramos al día. No limite más su consumo de grasa, a menos que se lo indique específicamente su médico, puesto que su piel, sus uñas y su cabello pueden sufrir. Por otra parte, consumir un poco de grasa ayuda a proteger el cuerpo contra el frío. Una dieta balanceada exige también que consumamos al menos 1.000 miligramos de calcio al día antes de la menopausia, cifra que deberá aumentarse hasta los 1.500 miligramos al día durante la menopausia, si no está tomando estrógenos. Si está en la terapia de sustitución estrogénica o en la terapia de suplencia hormonal, puede mantenerse en los 1.000 miligramos al día hasta llegar a los sesenta y cinco años, edad en la que se recomienda a todas las mujeres aumentar su consumo de calcio a 1.500 miligramos al día.

Además, una dieta equilibrada implica seguir las recomendaciones del American Institute for Cancer Research (Instituto Estadounidense de Investigación sobre el Cáncer), según las cuales debemos tomar entre 20 y 35 gramos de fibra al día. Si desea aumentar el consumo de fibra diario, debe hacerlo lentamente para evitar problemas de la digestión. No se exceda tampoco en el consumo de fibra porque, si lo hace, con ello puede barrer fuera de su organismo las vitaminas que necesita.

Las etiquetas que afirman que determinados alimentos están libres de grasa, han servido para confundirnos porque a menudo la grasa que han eliminado del producto ha sido reemplazada por azúcar, que se convierte en grasa una vez ingresa al organismo. Además, tenemos la tendencia a consumir más y más alimentos libres de grasa. Si unas galletas no tienen grasa ¿por qué no comernos tres? Piense que "libres de grasa" sólo son las frutas y las verduras, los granos enteros y los fríjoles. En todo caso, no lo son los productos empacados. También puede aplicarles la etiqueta "libre de grasa" a los ocho vasos de agua que debe tomarse al día.

Cuidar su peso equivale a buscar una alimentación equilibrada. Se trata de comer los alimentos apropiados, un poco menos de cada uno de ellos y hacer más ejercicio. Últimamente han aparecido un aluvión de libros de cocina para mujeres que están atravesando o acaban de pasar la menopausia; vale la pena consultarlos. Los autores han intentado proporcionar recetas con la comida que necesitamos para tener más energía y además consumir los alimentos adecuados ingiriendo a la vez menos calorías.

126 ¿Debo dejar las bebidas alcohólicas?

No necesariamente, pero debe consumirlas con moderación. Resulta un poco confuso leer que el alcohol puede beneficiar el corazón, pero lesionar el hígado y el páncreas. Que además puede tener algo que ver con la aparición de ciertos tipos de cánceres. Un consumo moderado de bebidas alcohólicas equivale a un trago al día, es decir, una botella o lata de cerveza de doce onzas, un vaso de vino de cuatro onzas, o una onza de licor. Para las mujeres esa cantidad puede ser suficiente si hablamos de reducir los riesgos de enfermedad cardíaca. Pero según un estudio de la Universidad de Harvard, publicado en la edición de julio de 1997 de *Menopause Management* (Manejo de la menopausia), puede haber un incremento de riesgo de cáncer de seno cuando el alcohol y los estrógenos interactúan. Éste fue un estudio pequeño realizado con veinticuatro mujeres, la mitad de las cuales estaban tomando estradiol, y los resultados mostraron un aumento en los niveles de estradiol en las mujeres que estaban recibiendo terapia de sustitución estrogénica y habían consumido pequeñas cantidades de bebidas alcohólicas. Cuanto más alcohol habían consumido, mayor fue el aumento en los niveles de estradiol. No se tiene todavía información suficiente sobre la relación alcohol-estradiol. Este punto seguramente será objeto de más investigación en el futuro.

127 ¿Cómo reducir el estrés a que estoy sometida?

El estrés forma parte de la vida. Hay algunos tipos de estrés que son positivos y otros que son negativos. El estrés positivo es aquel que nos permite alcanzar los objetivos que nos planteamos en la vida. Lo que necesita reducir es el estrés negativo, es decir, aquel producido por demandas exageradas que se nos plantean en la vida y a las cuales tienen que responder nuestra mente y nuestro cuerpo. El período de la menopausia está lleno de estrés negativo. Vemos y experimentamos cambios físicos y mientras tratamos de adaptarnos a ellos, tenemos que enfrentar situaciones familiares críticas. La enfermedad o muerte de los padres, que suele ocurrir en esta época de nuestra vida; es además cuando nuestros hijos dejan el nido vacío o regresan a casa con problemas personales, a menudo junto con sus hijos. Se dice que la mujer menopáusica está en la "generación del sándwich": tiene que responder a exigencias estresantes planteadas tanto por la generación de los mayores como por la de los menores. Algunas veces tiene que enfrentar retos aún más penosos. Muchas mujeres comparten historias en las que se han visto reemplazadas por la "mujer trofeo", ésa que su compañero cree merecer debido a su éxito en la vida, o para responder a las necesidades que le plantea el temor a su propia mortalidad.

El mayor desgaste que el estrés puede ocasionarnos puede ser producto de un manejo inadecuado del mismo. Sepa reconocer el estrés negativo en su vida. Haga una lista lo más completa posible de lo que la está molestando y luego empiece a eliminar de ella los puntos de los que puede prescindir. Si tiene exceso de trabajo en casa o en la oficina, busque la forma de reducirlo. Posponga algún vencimiento, deje de lado un proyecto, retrase la fiesta que tenía programada, cancele algunas invitaciones, haga todo lo posible para liberar tiempo para usted.

Trate de identificar claramente las fuentes de su estrés y haga un plan para evitar o superar algunas. Si necesita ayuda externa, vaya a donde un consejero o terapeuta. Es mejor discutir los problemas con un observador externo y preparado, lo que puede ayudarle a encontrar sus propias soluciones. El costo de la terapia palidece frente al costo total de su salud, o de un estrés insoportable.

Hay muchas formas para empezar a eliminar el estrés. Por ejemplo, si está preocupada constantemente porque llega tarde a sus compromisos, levántese más temprano, trate de arreglarse antes o haga cualquier cosa para lograr llegar a tiempo. Si tiene amigos o familiares que le plantean problemas, trate de hablar con ellos con menos frecuencia o procure no verlos en lo posible.

Aprenda la rutina de las tres respiraciones profundas y utilícela siempre que se vea en una situación estresante: inhale profundamente por la nariz y cuente hasta cuatro, exhale por la boca y cuente hasta seis. Haga lo mismo tres veces seguidas cuando enfrente cualquier situación estresante; verá cómo experimenta una cierta respuesta de alivio que le va a permitir cambiar la tensión de alta a baja. En mi caso personal, después de un mes de utilizar esta técnica he logrado experimentar un alivio real. Este tipo de respiración controlada, cuando se practica ininterrumpidamente durante cinco minutos o más, ha llegado incluso a producir efectos positivos en la reducción de diez a once puntos de la tensión arterial.

128 ¿Podría enumerar algunas otras fuentes de sanación mental y de relajación?

Recuerde, no hay fórmulas universales. Necesita experimentar para encontrar qué es lo que más le sirve. A continuación, unas cuantas técnicas entre las cuales puede escoger.

La terapia de relajación puede ayudarle a aliviar el estrés y a bajar la tensión, de tal modo que, con o sin estrógenos, le ayudará a minimizar los síntomas de la menopausia. Esta técnica incluye un proceso a través del cual se relaja sistemáticamente de las puntas de los pies hasta la cabeza, haciendo movimientos conscientes del cuerpo, concentrándose y relajando todas las partes del mismo. Ensaye. Acuéstese en una habitación previamente oscurecida. Cierre los ojos. Concéntrese en los dedos de los pies y déles la orden de relajarse. Siga con los tobillos, las pantorrillas, las rodillas, los muslos, las caderas y así sucesivamente. Cuando llegue a la cabeza, mandíbula y ojos, debería estar totalmente relajada. Quédese quieta y disfrute esa sensación todo el tiempo que le sea posible. Hágalo de nuevo cuantas veces pueda.

La visualización también es una técnica interesante. Por medio de ella usted se ve a sí misma en un ambiente creado por usted. Por ejemplo, si está enfrentando otra noche de insomnio, trate de visualizarse tendida en una playa escuchando las olas y sintiendo el sol sobre su cuerpo. Está experimentando una sensación calurosa y confortable. De repente se siente feliz, amada y rodeada por la naturaleza. El sueño vendrá.

La retroalimentación biológica es otra técnica de relajación fascinante. Para poderla aplicar, necesita estar conectada a un equipo que le ayude a entrenar su mente para ejercer control sobre su ritmo cardíaco, tensión muscular e incluso la temperatura de su piel, todas éstas respuestas automáticas del cuerpo. La retroalimentación que usted está buscando puede permitirle saber cuándo ha logrado controlar sus calores, reducido su tensión arterial e incluso bajado la temperatura de su cuerpo. Esta respuesta se la proporcionarán las lecturas o sonidos que emita el equipo, pues éstos le dirán si ha logrado modificar el sistema que está tratando de controlar.

La meditación también presta una gran ayuda. Conozco personas que logran organizar su vida para poder meditar quince minutos en la mañana y quince en las primeras horas de la noche. Todas ellas afirman haber experimentado una gran mejoría en su salud tanto mental como física.

El yoga combina el ejercicio físico con la meditación y la respiración profunda, lo que permite centrar la atención y calmar la mente. El yoga también fortalece las articulaciones y los músculos, da mayor flexibilidad y ayuda a mantener los huesos saludables. Como todas las otras terapias relajantes, puede ser útil para controlar los síntomas de la menopausia y los problemas de la edad.

El tai chi, una antigua disciplina china de movimientos fluidos, puede promover la salud de diversas maneras. Se sabe que ayuda a mejorar la flexibilidad, la fortaleza y el equilibrio personal, promoviendo una sensación de bienestar e incrementando al mismo tiempo la capacidad aeróbica del individuo. Es un ejercicio que no produce ningún tipo de impacto sobre el cuerpo e incrementa la atención y la disposición mental, y es suave para los músculos y los huesos. Apropiado para todas las edades y particularmente útil para las personas mayores y para quienes padecen de artritis, puesto que les permite hacer ejercicio sin exigir esfuerzo de ninguna de las articulaciones del cuerpo. La única forma de aprender el tai chi es trabajando con un profesor experimentado. Qi gong es el ejercicio oriental primario y se enfoca en la mente y en el cuerpo, proporcionando un estado interior contemplativo que, asociado con movimientos externos lentos y con un propósito específico, le premian produciéndole una profunda sensación de relajación.

129 ¿Sirven los masajes para aliviar los síntomas de la menopausia?

Todos los masajes pueden producir una sensación de calma y producir alivio de los síntomas de la menopausia, especialmente los dolores de las articulaciones. Hay muchas clases de masajes, pero asegúrese de estar trabajando con un terapeuta licenciado. El masaje de acupresión consiste en aplicar presión digital en los mismos puntos de los meridianos del cuerpo en los que se insertan las agujas cuando está en tratamiento de acupuntura. El objeto de este tipo de masaje es desbloquear las energías del cuerpo liberando puntos clave en los músculos. La acupresión es una forma de masaje profundo. El shiatsu también trabaja profundamente en el cuerpo. El masaje sueco es generalmente un masaje más suave y calmante. La reflexología implica trabajar únicamente los pies, que por tener puntos correspondientes a todas las partes y órganos del cuerpo localizados en ellos, puede dar origen a una relajación del cuerpo entero. Hay otros tipos de masajes que producen efectos positivos. Busque, experimente y decida qué es lo mejor para usted. Viva su vida plenamente.

12

¿SE VIVE LA MENOPAUSIA DE LA MISMA MANERA EN TODO EL MUNDO?

Durante la sesión de preguntas que siguió a una conferencia sobre "Las perspectivas de la mujer con la terapia de suplencia hormonal", un residente de ginecología asiático me preguntó una vez: "¿Por qué las mujeres occidentales hacen tanta algarabía en relación con la menopausia y las mujeres japonesas prácticamente no la perciben?"

Yo había hecho bien mi tarea y había descubierto que en japonés no existe una palabra para designar los calores. También descubrí que la queja principal de las mujeres menopáusicas en el Japón tiene que ver con un endurecimiento de los hombros. Solamente los dolores de cabeza podían considerarse un tema de discusión, pero sólo un 28% de las mujeres japonesas los padecen. Menos del 10% de las japonesas experimentan calores y un poco más del 3 % reportaron sudores nocturnos. También supe que las japonesas no suelen ir a su ginecólogo de confianza para consultarle ninguno de estos síntomas, sin importar cómo se denominen. Aparentemente ellas creen que los síntomas son manifestaciones naturales y transitorias. ¿Cómo podemos conocer cuál es su verdadera experiencia colectiva en relación con la menopausia?

El promedio de vida de las japonesas es de aproximadamente ochenta y dos años, y durante la última parte de su vida desarrollan osteoporosis con una frecuencia dos veces mayor que los hombres, pero menos de la mitad que las mujeres occidentales. La osteoporosis también suele presentarse más tarde, es decir, a los setenta u ochenta años. La mujer occidental con frecuencia enfrenta la osteoporosis a los cincuenta o sesenta años, o incluso antes. La incidencia de enfermedad cardíaca y cáncer de seno en las mujeres japonesas corresponde al 25 % de la incidencia en las mujeres occidentales. ¿Qué pasa aquí entonces?

¿Tendrá que ver esto con la dieta rica en soya y derivados de la misma y que ha sido consumida generación tras generación? ¿Será porque las japonesas hacen ejercicio durante toda su vida caminando a todas partes? ¿Tiene que ver con el hecho de que raramente consumen bebidas alcohólicas y no fuman? Aunque las respuestas a todas estas preguntas no han sido evaluadas científicamente, hay indicios que nos llevan a creer que todos estos factores, junto con su estructura genética, tienen que ver con esta diferencia. A pesar de todo esto, hace un par de años, cuando se fundó la Sociedad Japonesa de la Menopausia, las mujeres japonesas que conocieron algunos de los beneficios de los estrógenos en relación con la acción anti envejecimiento, empezaron a plantearse la posibilidad de someterse a la terapia de sustitución estrogénica o a la terapia de suplencia hormonal.

Las mujeres de la cultura maya suelen pasar por la edad de la menopausia sin experimentar ningún síntoma y tampoco tienen un término para referirse a los calores. Las rajput de la India tampoco parecen experimentar los calores menopáusicos y consideran la menopausia como un paso gradual de la época de posible embarazo y maternidad hacia una posición de respeto y dominio. Las indígenas originarias de los Estados Unidos son respetadas como viejas sabias y líderes al interior de sus tribus, una vez han pasado la menopausia.

Es posible que las mujeres en países como el Japón, cuya dieta tiene un alto contenido en fitoestrógenos, simplemente experimenten menos calores que las mujeres de otros países. Esto, sin embargo, no deja de ser una simple especulación. También es posible que en las culturas en las que se premia la edad avanzada para las mujeres, la menopausia y los calores no sean elementos problemáticos sino más bien una señal de que los mejores años están por llegar. La pregunta que suele surgir es si las mujeres hacen demasiado escándalo con los síntomas de la menopausia. Siendo yo una de las mujeres que casi pierde la capacidad laboral debido a los síntomas de la menopausia, lo que se corrigió con los estrógenos, puedo expresar mi percepción personal. Realmente los síntomas que experimenté fueron muy fuertes e incapacitantes.

Sigue siendo cierto que en nuestra sociedad el envejecimiento no es premiado y que la mujer menopáusica tiene que enfrentar publicidades e imágenes que enaltecen siempre a las jóvenes, con cuerpos maravillosos y rostros hermosos. Son muy escasos los papeles protagónicos asignados a mujeres maduras en el cine, mientras que los hombres sí son aceptados como amantes incluso hasta cuando son muy viejos.

130 A las mujeres chinas no suelen afectarlas los calores menopáusicos. ¿Será debido a que consumen ginseng?

¿Quién lo sabe? No hay ningún dato en la literatura científica occidental que pruebe que el ginseng cura los calores, pero hay mucha evidencia para probar que ayuda. Las chinas han usado el ginseng por más de tres mil años. Los informes que se reciben de la China suelen ser más anecdóticos que resultados de investigaciones rigurosas, como los que nos gustaría tener. Si decide usar el té de ginseng para aliviar los calores, consulte con un especialista en medicina china o con alguna persona confiable, para verificar si el producto que le ofrecen es en realidad bueno y qué cantidades debe tomar.

131 ¿Los problemas menopáusicos son exclusivos de las mujeres occidentales?

En absoluto. La verdad es que las mujeres de muchas tribus africanas suelen presentar problemas similares a los de las mujeres occidentales durante la menopausia.

En las diferentes culturas no sólo hay reacciones diferentes sino que parecen tener una aproximación totalmente distinta a estas situaciones. Un estudio muestra que las judías de ascendencia europea presentan síntomas menopáusicos similares a los de las estadounidenses, y las judías originarias del norte de Africa y residentes en Israel presentan muy pocos síntomas menopáusicos. Las judías del oriente cercano temen mucho los problemas de salud física, mientras que en Europa suelen preocuparse más por los mentales. Para otras mujeres en distintos lugares del mundo el mayor problema puede ser la infertilidad y la imposibilidad de despertar deseo sexual. Tenemos ante nosotras un buen paquete de emociones profundas.

132 ¿Hay lugares en el mundo en los que las mujeres adquieren mayor estatus y libertad adicional después de la menopausia?

Se han realizado muchos estudios y se ha escrito mucho acerca de las diferencias culturales que implica la edad. Lo más interesante es que, mientras en las culturas occidentales la menopausia se puede equiparar con envejecimiento y pérdida de poderes, sexual y de otros tipos, en otras culturas las mujeres adquieren un mayor estatus después de la menopausia. Mujeres que han tenido que llevar su rostro cubierto con velos en su juventud y en sus años reproductivos, pueden prescindir de ellos. No tienen que sufrir la segregación durante el período menstrual. Pueden participar en actividades con los hombres y tienen libertad para viajar. En muchas culturas son aceptadas en el cuerpo político. Las mujeres de la India, las mexicanas y las mujeres cree del Saskatcheewan occidental (provincia canadiense), no pueden asumir funciones curativas sino hasta después de la menopausia. Las mujeres tonganesas pueden hacer negocios y comer alimentos hasta entonces prohibidos después de la menopausia. Muchas mujeres nativas pueden llegar a ser casamenteras y comadronas sólo después de la menopausia. Otros grupos de mujeres, como las papuan y algunas chinas, son liberadas de la sumisión al marido después de la menopausia.

133 ¿De qué nos hablan estas diferencias culturales?

Pueden sugerir diferencias genéticas o ambientales. También pueden significar que los síntomas menopáusicos son acogidos positivamente cuando las mujeres saben que las restricciones impuestas a su vida van a dejar de existir pronto y que la postmenopausia puede ser un período vital y gratificante.

No hace mucho tiempo que las mujeres postmenopáusicas en los Estados Unidos y en otros lugares eran tratadas como viejas. Incluso la imagen que tenían de sí mismas era la de personas que ya merecían soportar las inclemencias de la vejez. Todo esto ha cambiado y la menopausia, hasta hace algunos años tema tabú, ahora se puede mencionar abiertamente. Las mujeres quieren respuestas a sus inquietudes. Quieren sentirse mejor. La apertura frente a la menopausia y a los temas y síntomas relacionados con ella son apenas desarrollos de la última década. Las líderes femeninas se movilizaron lenta y firmemente para obtener más información y mejor atención para las mujeres menopáusicas. Algunas médicas, no muchas en realidad, empezaron a comprometerse en la investigación que puede darnos respuestas más concretas. Organizaciones tales como la North American Menopause Society (Sociedad Estadounidense para la Menopausia) y la National Osteoporosis Foundation (Fundación Estadounidense para la Osteoporosis), para mencionar sólo dos, se formaron para aumentar el interés por la mujer menopáusica y sus problemas.

Poco a poco se ha ido comprendiendo mejor lo que viven las mujeres a medida que se hacen mayores. En 1996, cuando el primer bloque de la generación de la postguerra llegó a los cincuenta años, la demanda de investigación e información fue cada vez mayor. Sin embargo, las soluciones científicas no son la única respuesta necesaria para mejorar la vida de las mujeres postmenopáusicas. Las mujeres deben comprometerse para tratar de erradicar de una vez por todas la idea de que las mujeres postmenopáusicas están ya del otro lado. El reto para las mujeres de todos los lugares es empezar hoy mismo a valorar sus experiencias, su sabiduría y su belleza tanto interior como exterior.

CUARTA PARTE

TOMAR LA DECISIÓN

13

ENTONCES... ¿DEBO TOMAR ESTRÓGENOS?

En lo que a mí respecta, quienes se resisten a ello están haciendo tanto daño como quienes se dedican a hacerle propaganda. Si yo estuviera en su lugar, me encargaría de tomar la decisión yo misma. A todas nos conviene consultar y escuchar atentamente a los demás, pero ante todo debemos contar con nosotras mismas. Si su yo profundo le está gritando: "Ésta no soy yo, y quiero volver a ser yo misma", a usted le corresponde atender el llamado y tratar de comprender en qué forma la transición menopáusica la ha afectado. Después de esto, debe empezar a intentar ayudarse a sí misma.

Por supuesto, para hacerlo necesita investigar mucho. No puede depender exclusivamente de un profesional de la salud, no debe esperar a ser tomada de la mano y dirigida por el camino de la salud y la vida prolongada. La profesión médica se ha polarizado y tiene especialistas que pueden estar en los polos opuestos y dan a la mujer consejos a partir de su posición particular en un momento específico. Sin duda alguna usted necesita trabajar junto con su médico para obtener tanto información como atención médica, pero también necesita buscar información por su cuenta. Si presenta síntomas que según su opinión parecen menopáusicos y siente que está llegando a este período de su vida, es muy posible que esto sea cierto. Sin embargo, hay muchos médicos que insisten en afirmar que "usted está demasiado joven aún". Pero como ocho de cada cien mujeres experimentan una menopausia precoz, es decir, antes de los cuarenta, ¿cómo pueden estar tan seguros?

Es imposible que lo estén. Entonces solicite que le ordenen un análisis de hormona folículostimulante (FSH). Si es el caso, exija que se lo practiquen. Pero, ¿qué sucede si el examen no muestra un aumento en la FSH? Si sabe que algo extraño le está pasando, sugiero que le repitan el examen en otro momento del mes. Si hay discrepancia entre los dos exámenes, lo más posible es que necesite un tercer examen. El punto aquí es que puede encontrarse en la situación de tener que exigir su diagnóstico. Estoy convencida de que nadie conoce mejor su cuerpo que usted misma.

Si se aplican los análisis de sangre adecuados y se hace un seguimiento de sus síntomas, usted puede verificar si está experimentando la transición menopáusica. Entonces volvemos a encontrarnos con la pregunta número uno: ¿debo tomar estrógenos? La respuesta depende de muchos factores: sus antecedentes personales y familiares, los síntomas que experimenta y, en últimas, su decisión personal. Éste es el momento en el que le toca asumir control sobre sí misma. Tiene que evaluar los riesgos frente a los beneficios y tratar de equilibrarlos. Sería conveniente contar con alguna ayuda en este momento, y es precisamente aquí que usted tiene que sentirse segura de contar con un médico–socio, alguien que quiera trabajar con usted para poder tomar la decisión tranquilamente. Ese socio debe respetar su decisión y estar dispuesto a trabajar contando con ella y proporcionándole a la vez la información científica disponible, para permitirle estar siempre al tanto de los últimos datos que puedan beneficiarla.

134 ¿Qué debo esperar de mi médico?

Usted debería ser capaz de decirle a su médico que lo que está buscando es un socio en la lucha por su salud. Él o ella deberán estar dispuestos a prestarle esa colaboración. Debe esperar que sea alguien que le indique una rutina apropiada y con quien pueda discutir el proceso de la menopausia y las terapias de sustitución estrogénica y de reemplazo hormonal. Es decir, alguien que la oriente para que sea usted quien decida lo que necesita. Que esté dispuesto a responder sus preguntas y no se limite a extenderle una fórmula. El médico debería explicarle tanto los riesgos como los beneficios de cada medicamento que le ordene.

Los exámenes que se le practiquen a usted o aquellos que le sean ordenados durante su visita anual al médico o ginecólogo, deberían incluir control de la tensión arterial, de los niveles de colesterol, de azúcar en la sangre, de densidad ósea, examen de seno, examen pélvico, citología y mamografía. La densitometría ósea no debe repetirse rutinariamente si en el primer examen se demostró que no había pérdida ósea y está tomando estrógenos.

135 ¿Qué tipo de materiales educativos debo buscar?

Necesita leer más de un libro o un artículo acerca de los asuntos que le interesan. Lleve un archivo con la información que ha ido obteniendo y consúltelo con cierta frecuencia. Usted quiere saber todo lo que sea posible sobre la mamografía, con qué frecuencia debe practicársela y qué tan pronto puede esperar los resultados. Debe familiarizarse con la densitometría ósea y saber qué tipo de exámenes hay disponibles y cuáles son los márgenes de error, así como con qué frecuencia deben practicarle los exámenes. Necesita saber todo lo que sea posible acerca de los estrógenos y de las otras hormonas como la progesterona, la testosterona y todas las hormonas secretadas por la glándula tiroides, hormonas que algunas mujeres reemplazan después de la menopausia. Quiere tener información completa acerca de los moduladores selectivos de los receptores de estrógenos (MSRE), como Evista. Quiere saber cuáles son los resultados de la citología y la posibilidad de que haya falsos negativos o positivos en el mismo. Lo mejor que puede hacer es leer puntos de vista divergentes sobre éstos y otros temas relacionados con el cuidado de su salud, para poder discutirlos más tarde con su médico-socio. Su médico debe estar siempre dispuesto a explicarle qué está haciendo cuando le proponga una línea de acción específica.

Lo que le estoy sugiriendo es que lleve algo a la fiesta. Es decir, que antes de ir a la consulta médica se tome algún tiempo para prepararse. En primer lugar, haga una lista de las preguntas que desea plantear y, luego, de las dificultades que puede estar experimentando. Lea algo sobre los temas que quiere discutir en su cita. De esta forma puede obtener el mejor consejo médico en el menor tiempo posible.

136 ¿Puedo encontrar información sobre servicios de salud en Internet?

Hay una gran riqueza de información sobre salud en Internet. La red computarizada puede ser su primera fuente de información cuando quiera conocer detalles relacionados con alguna enfermedad en particular, cuando desee consultar sobre la interacción de los medicamentos y aprender algo acerca de los tratamientos que le sean sugeridos, y sobre las modalidades de atención a ciertas enfermedades. El problema es que la información de Internet no siempre es confiable.

Las páginas Web son particularmente interesantes y un buen lugar para iniciar su investigación. Hay páginas dedicadas a proporcionar información sobre la salud en general y también las hay especializadas en cada enfermedad. Hay páginas preparadas por muchas organizaciones médicas, grupos de salud de la mujer, escuelas de medicina y universidades.

137 ¿Qué páginas Web son recomendables cuando se trata de la salud de la mujer madura?

He aquí algunas buenas direcciones:

National Institutes of Health (Institutos de Salud de Estados Unidos): *http://www.nih.gov*

U.S. Food and Drug Administration — FDA (Departamento Administrativo de Alimentos y Medicinas de Estados Unidos): *http://www.fda.gov*

American Cancer Society (Sociedad Estadounidense de lucha contra el Cáncer): *http://www.cancer.org*

American Heart Association (Asociación Estadounidense de Cardiología): *http://www.amhrt.org*

U.S. Government (Gobierno de Estados Unidos): *www.healthfinder.gov*

America Online ha abierto una página muy confiable, especial para mujeres que estén interesadas en el tema de la menopausia. Se denomina Power Surge. Fue creada por una mujer muy inteligente y servicial llamada Alice Stamm, quien atiende dos veces por semana una sesión de discusión (*chat room*) e invita expertos en el campo de la salud de la mujer para responder las preguntas planteadas por sus corresponsales. He sido invitada de Power Surge muchas veces y disfruto la oportunidad que se ofrece allí de compartir información. La dirección es *powersurge@thrive.com.* También puede visitar la página Web de Alice, en *www.dearest.com.*

138 ¿Qué debo hacer si el médico en lugar de decirme que estoy entrando en la menopausia, me dice que necesito una histerectomía?

En primer lugar, infórmese por qué "necesita una histerectomía". Luego busque una segunda opinión. Esta nueva consulta no debería ofender a su médico quien incluso podría estar dispuesto a ayudarle a localizar a otro médico para que revise su caso. También es posible que se sienta más segura si es usted quien elige al segundo. Muchas compañías de seguros requieren una segunda opinión de todos modos, por tanto, no se sienta mal por quererla. Se trata de su bienestar.

También es importante que sea una consumidora educada. Necesita saber que si su útero y sus dos ovarios son removidos, esto dará origen a una menopausia quirúrgica. En términos médicos, esto se denomina histerectomía con ooforectomía bilateral. Si se remite al capítulo 1 y vuelve a leer los detalles sobre la menopausia, podrá ver que ésta se inicia cuando los ovarios se quedan sin óvulos y la producción de hormonas femeninas, estrógenos y progesterona, disminuye considerablemente o se agota por completo. Cuando los dos ovarios son removidos y las hormonas desaparecen de repente, usted entra rápidamente en la menopausia. Los síntomas menopáusicos pueden empezar de improviso y ser muy intensos. Tiene mucho que pensar antes de someterse a la cirugía; incluso tiene que pensar si puede recibir estrógenos y quizá un poquitín de testosterona inmediatamente, lo que le permitirá una transición sin problemas. Plantee muchas preguntas y tome su tiempo. Consulte el Internet también.

Yo le tengo cierta prevención a las histerectomías, puesto que últimamente más de 600.000 de estos procedimientos quirúrgicos han sido practicados en los Estados Unidos cada año y me inquieta saber que quizá dos tercios de éstos fueron innecesarios. La edad promedio de las mujeres que se someten a este procedimiento es de cuarenta años y medio. Es decir, bastante antes de lo que habría sido su menopausia natural y este procedimiento priva al cuerpo de sus hormonas demasiado pronto. La histerectomía sigue siendo una de las cirugías más frecuentemente practicadas a las mujeres en los Estados Unidos y como un envejecimiento prematuro se inicia relativamente pronto después de la operación, la palabra más importante aquí tendría que ser: cuidado. Tome su tiempo. Las histerectomías de urgencia son poco frecuentes.

Los Centros de control de las enfermedades informan

que los fibromas uterinos son la razón más común para practicar la histerectomía, seguidos por endometriosis, prolapso, cáncer e hiperplasia endometrial. Éstas pueden ser razones poderosas; sin embargo, piense con mucho detenimiento antes de someterse a la cirugía. La histerectomía con ooforectomía bilateral puede dar origen a efectos a largo plazo y muy duraderos. Muchas mujeres, entre un tercio y la mitad de ellas, sufren de depresiones menores después del procedimiento. Algunas se quejan de que su libido desapareció para nunca más volver, llevándose con ella la calidad de sus orgasmos; también se quejan de sufrir calores y sudores nocturnos insoportables, además de perder continuamente su batalla contra el aumento de peso.

Hay un buen número de formas menos dramáticas para solucionar algunos de los problemas que hasta hace poco eran causantes de la histerectomía. Procedimientos como la miomectomía, que consiste en remover los fibromas dejando el útero intacto; la dilatación y el curetaje (raspado), que consiste en raspar con una cucharilla el revestimiento del útero; la ablación endometrial, que utiliza electrocauterio para destruir el endometrio. El procedimiento no quirúrgico más nuevo demora treinta minutos y utiliza un globo para llevar calor al revestimiento uterino, destruirlo y reducir el sangrado. Más de una tercera parte de las histerectomías son practicadas cada año debido a menorragias, es decir, sangrado menstrual excesivo. Consulte las otras posibilidades con su cirujano. Dependiendo de cuáles sean las razones para sugerirle el procedimiento, usted puede considerar a cuál someterse. La histerectomía debe ser el último recurso. ¡Se trata de una cirugía mayor!

139 ¿Qué puedo hacer para que mi doctor tome en serio mis preocupaciones y preguntas?

Tómese en serio usted misma. Siempre preséntese como una persona segura de sí misma y confíe en que los temas que desea discutir son importantes. Con demasiada frecuencia las mujeres no queremos ser consideradas unas plañideras, y por tanto nos limitamos a sugerir brevemente algunas preguntas y comentarios destinados a disfrazar nuestras preocupaciones reales. Esto es un gran error. Nuestros esfuerzos por aparecer despreocupadas nos hacen perder de vista la seriedad de nuestra visita. Hay otro error que las mujeres cometemos con frecuencia, yo misma he sido culpable de ello, y es que cuando el profesional de cuello blanco entra en la habitación y dice amablemente: "¿Cómo está?", nosotras respondemos: "Bien". Esta respuesta es equivocada, porque de ese momento en adelante tenemos que empezar a pedalear en reversa hasta llegar al punto de nuestra visita. Lo que deberíamos responder para dar a la consulta un inicio positivo sería: "Estoy aquí porque..." y entrar de lleno en nuestra lista de preocupaciones, amable pero directamente. No hay tiempo para la cháchara, lo que queremos es buscar una buena atención médica. Si el médico es un amigo o un miembro de la familia, guarde la conversación para el final de la visita, si el doctor tiene tiempo. No se arriesgue a perder tiempo precioso de consulta en charlas sin importancia. Ésta es una regla que yo suelo seguir y he aprendido bastante bien a sacarle el mayor provecho a los pocos minutos que los médicos tienen para cada paciente.

También he encontrado una forma bastante exitosa para manejar la consulta de después del examen. Antes solíamos llevarla a cabo cuando yo estaba todavía cubierta por la batola de examen y mi médico totalmente vestido y dueño de sí. Hay algo que he hecho cuando necesito una larga charla después de mi examen y es decirle al médico, en tono muy cordial: "Doctor, yo me siento bastante incómoda discutiendo algo tan importante vestida así. ¿No sería bueno que estuviéramos en plan de igualdad? Entonces, o me da unos minutos para vestirme y hablar con usted en el consultorio, o usted se desviste y hablamos aquí". Un médico con un mínimo sentido del humor propiciará el encuentro en el consultorio unos pocos minutos después. En caso contrario, usted ha podido sentar su posición y esto es bastante importante.

140 ¿Cómo puedo lograr que mi compañero de toda la vida me acompañe en esta búsqueda y encontrar un buen médico que me dirija durante mi menopausia?

A los hombres en realidad se les dificulta comprender la sintomatología de las mujeres durante la menopausia. Nada de su propia fisiología puede compararse con esta pérdida de ciertas hormonas que experimenta la mujer. Por tanto, le sugiero hacer de su compañero su confidente, pero dosifique la información que comparta con él. Sería injusto y prácticamente imposible esperar que un hombre comprenda, en una sola sentada, todos los cambios psicológicos y físicos que afectan a la mujer.

Suelo sugerir que se empiece por dar a leer al compañero un par de párrafos interesantes en algún libro sobre la menopausia. Utilizando esto como trampolín, se puede empezar el diálogo. También es posible resaltar una sección o un artículo en una revista, que permita iniciar una conversación sobre el tema.

Mi experiencia me ha demostrado que la mayoría de los hombres tratan de comprender y ayudar a su esposa a sobreponerse a la transición menopáusica. También he visto últimamente más y más hombres que acompañan a sus esposas a mis conferencias, pues están interesados en aprender y ayudarlas. Por tanto, no lo margine de su proceso, pero hágalo con prudencia y trate de ver qué tanto puede o quiere asimilar a la vez.

Su esposo puede ser una ayuda inmejorable en la búsqueda de un médico-socio, por tanto manténgalo al tanto. Pídale que la acompañe en sus citas médicas, si está experimentando muchas dificultades con su menopausia. En mi caso personal, he podido constatar que es especialmente reconfortante saber que mi esposo está acompañándome en mis esfuerzos por lograr ser más saludable.

141 Me siento cansada a todas horas y mi compañero cree que estoy tratando de evitarlo. ¿Me ayudarán los estrógenos?

Los estrógenos producen efectos tonificantes en la mente de algunas mujeres. Un poquito de testosterona también puede ayudar a quitar el cansancio. Pero si usted se está sintiendo muy fatigada últimamente, algo así como si estuviera conduciendo en el vacío, o como si el esfuerzo que tiene que hacer para levantarse y para acostarse ya fuera suficiente, le sugiero que se haga un chequeo para verificar cómo está marchando su tiroides. Es posible que la respuesta a su problema esté justamente bajo su manzana de Adán. Es allí en donde está su glándula tiroides o el pequeño acelerador de su motor interior. La tiroides controla el ritmo de todos sus procesos corporales, como son el ritmo cardíaco, el pensamiento y la digestión. Las variaciones en la cantidad de hormonas secretadas por la tiroides nos producen molestias. Es posible que experimentemos una aceleración, producida por un hipertiroidismo, o una desaceleración, a causa de un hipotiroidismo. Cualquiera de los dos es un problema y una de cada cinco mujeres suele presentar una desincronización de la tiroides, sin darse cuenta de lo que está sucediendo. Si se ha sentido cansada durante mucho tiempo, consulte con su médico y solicite que le practique un examen de la tiroides. Hay un examen de sangre muy sencillo y poco costoso que se denomina TSH, o un análisis de la hormona estimulante de la tiroides que puede mostrar si su tiroides está funcionando normalmente. El hipotiroidismo, baja en el funcionamiento de la tiroides, afecta a un 20 ó 25% de las mujeres mayores de sesenta años.

142 ¿Cuáles son los síntomas del hipotiroidismo?

La fatiga, el aumento de peso, los escalofríos, el estreñimiento, la falta de concentración, los calambres musculares, la resequedad en la piel, el adelgazamiento del cabello, las uñas delicadas, la sensibilidad extrema al frío e incluso algunas dificultades para tragar, son todos posibles indicadores de una reducción en el ritmo de la tiroides. Como algunos de estos síntomas también coinciden con los del aumento en edad, es fácil que tanto usted como su médico los dejen pasar. ¡Atención! Una tiroides que no está trabajando correctamente puede dar origen a muchos problemas, incluso una subida de los niveles de colesterol, lo que puede aumentar su riesgo de enfermedad cardíaca. Una buena idea sería someterse a un TSH hacia los treinta y cinco o cuarenta años, puesto que la mayoría de personas que presentan problemas del tiroides suelen ignorarlo. Como es relativamente fácil nivelar un tiroides lento tomando una tableta (hormonas sintéticas) al día, ¿por qué no revisar si empieza a sentir que su antes activa maquinaria parecería tener los goznes oxidados?

Es importante que diga cómo se siente. Su esposo la puede

ayudar si usted le tiene la suficiente confianza. También es posible que le ayude una amiga cercana. Con frecuencia, ir con su compañero a donde el médico sirve para que se llegue al punto central más rápido. Además, dos cabezas piensan mejor que una sola cuando se está tratando de recordar qué fue lo que se dijo y a qué decisiones médicas se llegó. Su médico le ayudará también, pero solamente cuando usted diga cómo se siente.

143 ¿Cómo enfrentar ciertas prácticas "terroristas"?

Evalúe cuidadosamente todos los hechos antes de tomar una decisión. Este consejo es valioso en todos los campos de la vida, pero mucho más precioso cuando se trata de su salud. Con demasiada frecuencia las mujeres le temen a ser calificadas de "hipersensibles", "neuróticas", "presas del pánico", "histéricas", "suspicaces", o a ser llamadas gallinas o, lo que es aún peor, hipocondríacas; todo eso lo podemos evitar si procuramos informarnos suficientemente para tomar las previsiones necesarias en lo que al cuidado de nuestra salud se refiere. No se deje etiquetar, no dude y no deje que le digan que todos los problemas "están en su cabeza".

14

¿CÓMO ME MANTENGO EN EL CAMINO CORRECTO?

Sea su mejor amiga. Evalúe cuidadosamente todos los aspectos antes de decidir qué rumbo tomar. Asegúrese de tener costumbres que le convengan. Busque un médico-socio con quien se sienta cómoda. Prepárese antes de ir a consulta, haciendo una relación clara de sus síntomas y sus inquietudes. Téngala muy presente en su mente o escríbala. Lea cuanto le sea posible acerca de la salud de la mujer madura. Esté pendiente de los últimos descubrimientos médicos.

No tome ninguna decisión cuando escuche noticias acerca de la salud. Antes consulte con su médico, así como para tomar cualquier medicamento, entre otros los estrógenos, y procure saber exactamente cómo hacerlo.

El último capítulo de un libro como éste por lo general debería ser una especie de conclusión. Pero es imprescindible en este caso proporcionar información importante para las mujeres que no cabía en los capítulos anteriores. Voy por tanto a intentar responder las últimas preguntas que se plantean con mayor frecuencia. Éstas tienen que ver con algunas de las preocupaciones que las mujeres siguen teniendo antes de tomar su decisión relacionada con la terapia de suplencia hormonal o no hormonal y cómo hacer para mantenerse en el buen camino.

144 Se me suele olvidar la pastilla de estrógeno y me da pavor doblar la dosis. ¿Qué debo hacer?

Determine un sistema que le sirva a usted. Quizá como muchas mujeres, inconscientemente rechaza la dependencia a largo plazo de un medicamento. Esto es comprensible. Pero puede hacerse daño si desequilibra el balance hormonal que su terapia de suplencia hormonal o de sustitución estrogénica le están proporcionando. Si deja de tomar ocasionalmente alguna o algunas tabletas, puede experimentar de nuevo los molestos síntomas menopáusicos; por lo general empezarán los calores e incluso es posible que se le presenten sangrados, que con frecuencia son causa de mucha preocupación. Invente un sistema para tomar diariamente su medicina; por ejemplo, relaciónelo con otra actividad que realice rutinariamente, como cepillarse los dientes. Ate una cinta al cepillo de dientes, esto puede ayudarle a recordar sus medicinas. También puede intentar ubicar alguna señal sobre la nevera o la cafetera, si la cocina es su primera parada en la mañana. Otra posibilidad es tratar de utilizar Prempro o Premphase, es decir, aquéllos medicamentos que le proporcionan dos píldoras en una, o Combipatch, si está en la terapia de suplencia hormonal. También puede pensar en usar un parche de ésos que duran una semana, como Climaderm o Fempatch, o usar Estring, que se deja en su lugar durante cerca de tres meses. Estos métodos requieren una menor vigilancia diaria de parte suya. Por supuesto, si su problema es la memoria, tendrá que establecer un sistema para recordar cualquiera de estos otros sistemas. Tiene que pensar algo para todos los lunes, si se trata del parche semanal; haga alguna anotación en su calendario en el primer mes de cada trimestre del año. En fin, creo que ya tiene la idea.

145 Mi médico dice que no debo tomar progesterona micronizada e insiste en que me quede con los que "mandan la parada". Yo me siento fatal con el progestágeno, pero me da mucho miedo insistir para que me lo cambie. ¿Por qué resulta tan difícil que formulen la progesterona micronizada?

Es increíble que este tipo de problema siga existiendo casi una década después de que la menopausia y los temas de la salud de la mujer han pasado a ocupar la primera fila. Pero todavía sucede y la razón, sin duda alguna, tiene que ver con el hecho de que la FDA todavía no ha aprobado el uso de la progesterona micronizada para la terapia de suplencia hormonal en

Estados Unidos. Quizá su médico está siendo precavido debido a esto y, lo que es más importante, como no hay estudios científicos de una cobertura suficientemente amplia acerca de la progesterona micronizada, no se ha llegado a determinar exactamente la cantidad que se debe tomar para proteger adecuadamente el endometrio. Apenas si se duda que la progesterona micronizada es mejor para las mujeres que el progestágeno sintético, principalmente en lo que se refiere a las depresiones menopáusicas. Este producto puede obtenerse con la prescripción de su médico en alguna farmacia especializada, para preparación de la fórmula magistral.

146 Estoy tomando estrógenos, pero temo quedarme sin marido porque he perdido el apetito sexual. ¿Qué puedo hacer?

Éste es un temor real y además lo expresan muchas mujeres. Su libido ha desaparecido y temen que sus maridos, con quienes llevan casadas muchos años, se den cuenta de su falta de interés. Es tremendamente difícil estar agobiada por ese temor, porque cada mujer atractiva y coqueta que esté en una fiesta, todas las secretarias de la oficina y todas las modelos de la televisión, el periódico o las revistas, pueden ser percibidas como una potencial amenaza. Éste el momento de ir a su médico y consultar su problema, a fin de ver qué se puede hacer para reactivar su deseo sexual. Con frecuencia sólo un poco de testosterona añadida a su coctel hormonal es todo lo que necesita para arreglar este problema. También, en lugar de ocultar a su compañero el problema, quizá buscar su ayuda le sea más útil y la haga sentirse mejor. Comparta con él no sólo su situación personal, sino muchos de los elementos contenidos en este libro y en otros en los que se plantea qué tan común es el problema, y además aclárele que no se trata de falta de amor sino simplemente de una disminución de hormonas en usted. Cuéntele que va a buscar ayuda médica para solucionar el problema. En la mayoría de las relaciones abordar las cosas con esta honestidad es positivo. Hoy, debido a lo extendido de este problema, hay más formas de tomar testosterona que nunca antes. Además de las píldoras, las inyecciones y las cápsulas mencionadas antes, también hay una crema con un 2 % de testosterona, que se puede aplicar en los genitales femeninos y produce resultados extraordinariamente positivos.

147 De un momento a otro mi cabello empezó a debilitarse. ¿Hay algún tipo específico de estrógenos para corregir este problema?

He aquí otro problema bastante común. La buena noticia es que hay cómo solucionarlo. Mi dermatóloga, la doctora Wilma Bergfeld, directora de dermopatología en la Clínica Cleveland y antes presidenta de la Asociación Dermatológica Estadounidense, les formula a sus pacientes una solución con estrógenos para aplicar tópicamente en el cuero cabelludo, cuando el cabello se está debilitando. ¡Me complace mucho informarle que funciona!

El folículo de cada cabello en la cabeza está localizado profundamente en la dermis o piel. El folículo permanece en su lugar puesto que está sostenido por un tejido rico en colágeno y éste último es alimentado por los estrógenos. A medida que nos hacemos mayores y perdemos estrógenos, la cantidad de colágeno que producimos tiende a disminuir, lo que hace que la piel se adelgace y seque. Mientras esto está sucediendo, la grasa y el músculo bajo la piel también pueden reducirse. Cuando estos tejidos tan importantes dejan de prestar un servicio de primera, es posible que el cabello empiece a caerse. No se quede ahí sufriendo en silencio. Discuta el problema con un dermatólogo. Seguramente encontrará ayuda.

Ya que hemos mencionado el tema del colágeno y la piel, dediquémosle unos momentos a hablar acerca del impacto de la menopausia en nuestra piel, antes suave, rosada y brillante. El colágeno es una proteína necesaria para la piel. Las células de la piel, como los huesos de los años mozos, se restituyen a sí mismas. A medida que nos hacemos mayores, este proceso se hace más lento, la capa de células grasas que está bajo la piel se reduce un poco y ésta pierde algo de su elasticidad juvenil y empieza a arrugarse. Debería poder prevenir este problema. En primer lugar, el sol es el peor enemigo de su piel. Protéjase de él puesto que la seca, da origen a las arrugas y le hace salir esas manchas cafés propias de la edad. El cigarrillo también es dañino y con frecuencia responsable de esas arrugas verticales que se forman alrededor de la boca. ¿Qué se puede hacer? No fumar. Mantener la piel humectada. Usar bloqueador solar todos los días. Beber mucha agua, que ayuda a alimentar la piel, y pensar en usar estrógenos. Los estrógenos ayudan enormemente a mantener la piel suave, flexible y con apariencia joven.

148 ¿Cómo puedo aprender a amar este período de la vida?

¿Cómo amarlo? Usted es libre. Es hora de celebrar. Si aún no han desaparecido los periodos menstruales y sus correspondientes cólicos, pronto formarán parte de esos recuerdos distantes que suelen ir unidos al temor de un embarazo indeseado. Muchas mujeres empiezan a saber quiénes son cuando llegan a la menopausia. Nunca antes la ciencia médica nos había proporcionado tantas posibilidades de un futuro emocionante. Ahora sabemos que una mujer saludable a los cincuenta años puede vivir perfectamente hasta los ochenta, o que una mujer saludable a los sesenta puede vivir hasta los noventa e incluso más. Nunca antes se había investigado tanto en lo relacionado con la salud de la mujer. Nunca antes se había abordado con tanta franqueza el tema de la menopausia, ni había información de tan fácil acceso. Nunca antes habíamos tenido tantas opciones para contrarrestar los cambios físicos y psicológicos de la menopausia.

Hay una nueva actitud respetuosa frente a la mujer madura. Es una persona realizada y que todavía tiene mucho que lograr. Se dice que la actriz Helen Hayes dijo en una ocasión: "El reposo me oxida". Yo comparto esta idea, lo mismo que muchas otras mujeres menopáusicas que tienen una visión clara de la vida. En libros que publiqué antes, solía incluir uno o dos párrafos con los nombres de mujeres de más de cincuenta años, que podían ser reconocidas fácilmente por usted, cuyas carreras se dispararon. Hoy hay tantas mujeres mayores de cincuenta años que ocupan posiciones visibles que podríamos dedicar un libro entero a nombrarlas. Hay algo de lo que estoy segura. No somos "invisibles", como la feminista Germaine Geer dijo en una ocasión. La menopausia no quiere decir que estemos al final de nada. De hecho, estamos iniciando lo que puede y debería ser el período más maravilloso de nuestra vida.

Test de autoevaluación para tomar estrógenos

Estoy sufriendo los siguientes síntomas, que alteran mi calidad de vida. Califique los síntomas de 1 a 10, dándole 1 a los que apenas si le molestan y 10 a los que realmente la afectan. Por último, a todos los síntomas que recibieron 6 o más, asígneles 10 puntos adicionales. Asigne 5 puntos adicionales a todos los síntomas que estén entre 1 y 5.

Síntomas a corto plazo

________ calores
________ sudores nocturnos
________ sequedad vaginal
________ insomnio
________ palpitaciones del corazón
________ ansiedad
________ cambios del estado de ánimo
________ cansancio
________ falta de libido
________ dolor en las articulaciones
________ otros (menciónelos) ________________
____
____

Analice su puntaje de la siguiente manera:

10 – 20 No hay un problema significativo.

20 – 40	Creo que puedo convivir con ellos.
40 – 60	En realidad no es agradable.
60 – 80	Necesito ayuda. Mi calidad de vida está disminuyendo.
80 – 100 o más	Mis síntomas me están incapacitando.

Prevención a largo plazo

Revise los factores de riesgo que usted presenta y asígnele 4 puntos a cada uno. Tengo historia familiar de

_________ cáncer de seno.
_________ cáncer de colon/recto.
_________ otros tipos de cáncer.
_________ enfermedad cardíaca.
_________ osteoporosis.
_________ enfermedad de Alzheimer.
_________ osteoartritis.

Tengo historia personal de

_________ cáncer de seno.
_________ otros tipos de cáncer.
_________ endometriosis.
_________ enfermedad cardíaca.
_________ osteoporosis.
_________ osteoartritis.
_________ enfermedad de la vesícula.

_________ enfermedad del hígado.
_________ flebitis u otras enfermedades circulatorias.
_________ mi menopausia fue prematura (antes de los cuarenta años).
_________ soy caucásica o asiática.
_________ tengo huesos pequeños y estructura menuda.
_________ soy sedentaria.
_________ tengo una prolongada deficiencia de calcio.
_________ tomo medicaciones que contribuyen a generar pérdida de la densidad de los huesos.
_________ fumo.
_________ bebo mucho.

Analice su situación de la siguiente manera:

10 – 20 puntos	Puedo someterme a terapia de suplencia hormonal o a terapia de sustitución estrogénica.
20 – 40 puntos	Puedo hacer lo uno o lo otro.
40 – 60 puntos	Debería pensar en la terapia de sustitución estrogénica.
60 – 80 puntos	La terapia de sustitución estrogénica suena muy atractiva.
80 – 100 puntos	Debo tomar estrógenos.

15

¡SIGAMOS EN CONTACTO!

En todos mis libros suelo dejar abiertas las líneas de comunicación con mis lectoras. Si no fuera así, ¿qué derecho tendría a hacerme llamar abogada de la salud de las mujeres? Con el correr del tiempo me he mantenido en contacto con miles de mujeres, con algunas solamente una vez, con otras, siempre que surge una nueva inquietud para ellas. Algunas me escriben para compartir sus experiencias, otras buscan consejo o ayuda. Disfruto con esta comunicación. Primero, diariamente me entero de que le soy útil a alguien. Segundo, las cartas de mis lectoras me mantienen informada de lo que está sucediendo en el mundo amplio de las mujeres y de las nuevas preguntas que se plantean en relación con su salud y bienestar. Esta relación interactiva me permite saber más cosas sobre cómo generar para nosotras esa segunda mitad de la vida adulta, con la calidad de vida que todas buscamos.

Sus necesidades médicas pueden ser manejadas por un

médico, y espero haberla animado suficientemente como para que se decida a buscar y a establecer una adecuada relación médico-paciente, que le proporcione considerables beneficios a su salud y le asegure una buena atención médica. Usted y yo podemos compartir otro tipo de información; aquélla que nos permite mantenernos al día y estar capacitadas para obtener el mejor cuidado posible, así como conocer otros estilos de vida que han sido útiles para otras mujeres y que pueden ayudarnos. Todas queremos mantenernos informadas acerca de los métodos de autoayuda, médicos y no médicos. También queremos estar suficientemente informadas sobre los tratamientos hormonales y no hormonales entre los que podemos escoger. Más adelante encontrará mi dirección. Espero saber de usted. Me complacería mucho recibir sus comentarios, preguntas y sugerencias; ellos me permiten escribir libros y artículos para revistas que respondan adecuadamente a las necesidades de la mujer. No puedo prometerle que responderé individualmente sus cartas, pero lo que sí puedo prometer es que el área que le interesa o preocupa hará parte del paquete de ideas de mi próximo libro, o de mi columna "Woman to Woman" (De mujer a mujer) en la revista *Your Health*.

Lamento mucho no estar en condiciones de proporcionarle direcciones de especialistas en menopausia en su país. Si hay una sociedad o asociación para el estudio de la menopausia, o una sociedad de osteoporosis en su país, ése sería un buen punto de arranque. Por ejemplo, The North American Menopause

Society podría proporcionarle indicaciones en los Estados Unidos, en Canadá y, tal vez, en otros países. Estas organizaciones prefieren que usted les escriba en lugar de llamarlas.

Espero que quiera compartir sus ideas. Juntas podemos seguir ayudando a otras mujeres que están entrando a formar parte de esta nueva y maravillosa etapa de la vida.

Puede escribirme a la siguiente dirección:

Ruth S. Jacobowitz

10951 Sorrento Valley Road, Suite 1-D

San Diego, CA 92121

E mail: *ruthsj@san.rr.com*

También puede consultar mi página web en:

www.ruthjacobowitz.com.

AGRADECIMIENTOS

Habría sido imposible empezar y más aún concluir este libro sin la ayuda de muchas personas. En primer lugar, quiero agradecer a las miles de mujeres que respondieron mis cuestionarios y compartieron generosamente conmigo sus decisiones relacionadas con los estrógenos, así como sus inquietudes y preocupaciones. No habría manera de que un trabajo como éste, cuyo objetivo es satisfacer una necesidad de grupo, pudiera tener validez y sentido sin su valiosa colaboración.

Quiero agradecer a todos los profesionales con quienes he trabajado durante años, que han compartido generosamente su información conmigo y me han ayudado a asumir la función de abogada de la salud de las mujeres, siendo conscientes de los retos que debe enfrentar una persona que hace suya la causa de la salud de la mujer madura. Entrevisté a tantas personas para escribir este libro que intentar mencionarlas a todas sería una locura, y además correría el riesgo de dejar a alguien por fuera. Estoy profundamente agradecida con todas las personas que trabajan con diligencia tratando de determinar lo que les conviene tanto a sus pacientes como a las mujeres de diferentes entornos, a fin de mejorar la calidad de su vida y permitirles que ésta sea más larga.

Mil gracias a mi editora, Jennifer Josephy, quien concibió la idea de publicar este libro y pensó que no deberíamos publicar otro sobre la menopausia sino uno específicamente sobre los estrógenos. También quiero agradecer a Peter Sawyer, mi agente, quien facilitó el contacto con Jennifer, haciendo posible este libro.

El apoyo incondicional que me proporcionó mi familia me ha ayudado permanentemente en el proceso de escritura de los cinco libros publicados y me ha permitido participar en seminarios en el mundo entero. Mi esposo Paul y yo fuimos bendecidos con tres hijas maravillosas y con tres yernos igualmente estupendos, que nos han dado ocho preciosos nietos. A todos ellos, mi imperecedero amor.

El resto de la familia también echó una mano al excusar mis ausencias y hacerme saber siempre que estaban orgullosos de mí; esto me ayudó enormemente cuando sentí que mis energías flaqueaban y que mis objetivos se desdibujaban. Así pues, gracias a mis hermanas y a mis cuñados, y al hermano y cuñada de Paul. Se necesita de la familia para que todos crezcan y se complementen apoyándose unos a otros.

Hay otras personas a las que quiero expresar mis agradecimientos, pues me mantuvieron en la ruta: Denise Keeter, quien me enseñó a usar tanto la computadora nueva como el procesador de palabras, y estuvo siempre dispuesta a arreglar los embrollos que yo armaba. Deanne Siegal, M.S., R.D., cuya ayuda fue invaluable para la preparación de los medidores de calcio. Eva Grausz, quien se unió al proyecto en la última parte para compilar la información y preparar algunos materiales. Mil gracias y mucho cariño para Kristen Lee, mi acupunturista, y para Mara Carrico, mi instructora de yoga, pues fueron ellas quienes lograron mantenerme lúcida y vital durante el proceso de escritura de este libro.

Por último, quiero de nuevo expresar mi gratitud a todas aquellas mujeres que en estos últimos años, y desde distintos lugares, nunca han dejado desfallecer mi decisión de educar y dar fuerzas y valor a las mujeres, para que podamos vivir mejor por muchos años.

Ruth S. Jacobowitz

Índice

F

P

Q

R